ŁUKASZ KRAKOWIAK

COPYFIGHTER

Powieść w dziewięciu rundach zakończona nokautem

n i s z a

Warszawa 2015

RUNDA PIERWSZA

Na początku jak zawsze było słowo: copywriter. Natkną-
łem się na nie przypadkiem. Skacząc po kanałach filmo-
wych. Często tak wtedy skakałem. Z braku bardziej
konstruktywnych pomysłów na siebie. Kiedy to było?
W sumie dość dawno. Większość telewizorów miała jeszcze ogromne, rubensowskie dupska – anorektyczna histe-
ria miała zawładnąć ich światem dopiero za jakiś czas. Sam
film, jak większość filmów, amerykański. Ze wszystkimi
tego konsekwencjami. Za to główny bohater naprawdę od-
wracał uwagę od miski z chipsami. Początkowo myślałem,
że facet jest kloszardem. Na gębie kilkudniowy zarost.
Na łbie zmierzwiona strzecha. Na tyłku przetarte jeansy.
A na grzbiecie poszarpany T-shirt w kolorze zatartym
setką prań. Siedział okrakiem na drewnianej skrzynce po
warzywach, opierając się o ścianę z czerwonej cegły po-
chlapaną wapnem. Sączył browar prosto z butelki. Kiedy
butelka stała się już tylko surowcem wtórnym, wstał
i po trzech krokach znalazł się w obitej nieheblowanymi
dechami windzie, na oko towarowej. Zjechał na sam dół,
do jakiegoś betonowego bunkra skąpanego w jaskrawym

świetle jarzeniówek. A tam, w tym bunkrze, długi rządek wypasionych bryczek, rodem z *Top Gear*. Ki czort? Jakaś dziupla? Blachy tu przebijają? Ale nie, bo pod sufitem z tuzin kamer monitoringu. Czyli raczej jakiś garaż. I to strzeżony. Tylko co tu robi ten kloszard? Kraść przyszedł? Dewastować? Ale nic z tych rzeczy. Gość na luzie przeparadował przed tymi wszystkimi kamerami. Do jednej nawet pomachał. Potem otworzył pilotem czerwone ferrari enzo. Wsiadł, odpalił jakiś progresywny jazz i ruszył z piskiem opon. Cięcie.

Kolejna scena: znajomy typ w stroju kloszarda wbiega do przeszklonego biurowca przy Park Avenue (rzecz, *by the way*, dzieje się w Nowym Jorku). Biegiem mija pozdrawiających go portierów i zdyszany wskakuje do windy. Spieszy się, najwyraźniej jest już w niedoczasie. Wysiada na dwudziestym piętrze. Tu od razu dopada go wysoka blondyna w obcisłym biznesowym kostiumiku. Jak nic od Ralpha Laurena. Podtyka kloszardowi pod nos jakieś papiery, pokazuje jakieś fotki. Gada do niego jak nakręcona. Facet nie zwalnia kroku. Szybko pokonuje jasno oświetlony hall i wkracza do olbrzymiej sali konferencyjnej, gdzie przy długim stole czeka już tuzin wymuskanych japiszonów w nieprzyzwoicie drogich garniturach. Po jednej stronie stołu garnitury są wyłącznie granatowe, a koszule błękitne. Druga strona jest dużo bardziej kolorowa.

– Panowie – przywódca kolorowych zwraca się do granatowych – oto Bob, najlepszy copywriter na Wschodnim Wybrzeżu. To właśnie on jest autorem nowej kampanii waszych telefonów komórkowych. Bob, przejmij stery! Panowie mają do ciebie mnóstwo pytań...

No i wszystko jasne: copywriter. Autor sloganów, tekstów i koncepcji reklamowych, jak syntetycznie ujmuje to Wikipedia. Te kloszardzkie łachy to po prostu stylizacja. Trademark artysty w świecie kupców. A ta opuszczona fabryka to ekskluzywny nowojorski loft, pewnie w Soho. Stół i krzesła ze skrzynek po warzywach to aranż jakiegoś topowego projektanta celebryty. Podobnie jak chlapnięte wapnem ściany. I łóżko z europalet. I nagie żarówki dyndające z sufitu na pociągniętych fluorescencyjną farbą kablach. I rolety okienne udające rozpostarte rozkładówki „New York Timesa". I piwniczny beton na podłodze. A wszystko to złamane sporą ilością sprzętu Apple'a i Bang & Olufsena. Plus winda z salonu prosto do garażu. A tam czerwone ferrari. Żyć nie umierać.

– Zarabiam nieprzyzwoicie dużo – wyznaje Bob w jednej z dalszych scen filmu, pochylając się nad restauracyjnym stolikiem w stronę nieziemsko seksownej brunetki.

Potem dodaje, że ma już prawie wszystko, o czym marzył. Prawie. Bo brakuje mu jeszcze miłości. Ckliwa gadka szmatka i oboje lądują w sypialni Boba, na tych europaletach. A zaraz potem lądują na Bahamach, gdzie Bob – jak sam mówi – lubi raz na jakiś czas złapać głębszy oddech.

Tu, w hotelowym patio, Bob popija drinka ze spotkanym po wielu latach, ale wciąż jeszcze znajomym dziennikarzem. Chyba Markiem. Ale głowy nie dam.

– A więc – mówi ten domniemany Mark – wygląda na to, że skończyliśmy bardzo podobnie, Bob. Obaj żyjemy z pisania.

– I na tym podobieństwa się kończą, stary – Bob wyraźnie chce uniknąć wspólnej szufladki z Markiem – bo, widzisz, copywriter pisze w sumie niewiele, a zarabia naprawdę sporo. Za to dziennikarz, z tego co wiem, wręcz odwrotnie.

Jeżeli w tym momencie nie byłem jeszcze zdecydowany, że chcę być taki jak Bob, to kilka scen później facet ostatecznie mnie przekonał. Teraz rzecz działa się przy barze, gdzie Bob brał na warsztat kolejną zjawiskową dziewczynę, tym razem rudą, w typie Nicole Kidman (brunetka już dawno przeszła do historii).

– Jak ty znajdujesz czas na te wszystkie rzeczy? – koniecznie chciała wiedzieć Nicole. – Mecze Knicksów i Rangersów. Poker w Vegas, narty w Aspen, surfing na Bahamach. *Mona Lisa* w Luwrze i Verdi w La Scali. Jogging w Central Parku i swinging w SinSation. Wizażysta, masażysta, kabalista. I jeszcze przymierzasz się do autobiografii...

– Cóż, copywriter nie ma godzin pracy, kotku. Copywriter ma terminy – rzucił z uśmiechem Bob, obracając między palcami kolorową parasolkę z drinka. – Nie narzekam na brak czasu...

Cholera, facet był i miał. Miał wszystko. I jeszcze miał na to wszystko czas! Tamtej nocy śniło mi się, że jestem Bobem. Rano postanowiłem zostać nim naprawdę.

***

Jeansy Diesel, więcej dziur niż materiału: 599 PLN – fart, promocja, wyprzedaż w outlecie.

T-shirt Replay, Che Guevara w czapce błazna: 199 PLN – seria cholernie limitowana.

Marynarka Pepe Jeans, nienoszona, a znoszona: 499 PLN – ostatnia sztuka, już takich nie robią.

Trampki Converse, najprostsze, granatowe: 249 PLN – bez

znaczka Converse'a za cztery dychy w każdym hipermarkecie.

Wyglądać jak copywriter: bezcenne.

***

„Jeżeli:
- piszesz tak, że chce się czytać,
- wolisz wymyślać coś niż komuś,
- znasz się na wszystkim, choć na niczym szczególnie,
- umiesz wciskać kit bez mrugnięcia okiem,
- lubisz czasem myśleć, że jesteś wyjątkowy,
- nie masz ciśnienia na bycie w domu przed północą,
- jesteś impregnowany na ludzką głupotę,
- nie pękasz w atmosferze chorej zawiści,
to ta robota jest dla ciebie stworzona.

Legendarna Agencja Reklamowa zatrudni copywritera. Na cito.

Aplikacje na maila: dyrektorbardzokreatywny@legendarnaagencja.com".

Od razu wyczułem, że zwyczajne CV byłoby tu samobójstwem. Musiałem zaprezentować się jakoś ekstra. Jeszcze tego samego dnia nabyłem w OBI dwie grube dechy – krótszą i dłuższą. W domu zmajstrowałem z nich ogromny krzyż, który następnie rozłożyłem na podłodze. Ustawiłem statyw z aparatem wycelowanym w całą tę konstrukcję. Rozebrałem się do naga, ległem na dechach w pozycji na Jezuska, przesłaniając genitalia stertą krajowych banknotów o niskich nominałach. Wykonałem przećwiczony przed lustrem grymas cierpienia za miliony i pstryknąłem sobie fotkę.

„Cierpię za grzechy twórców gównianych reklam. Chcę zbawić polską kreację. Kiedy mogę zacząć?" Takim mniej więcej tekstem opatrzyłem owo zdjęcie (czarno-białe, dla wzmocnienia artystycznego wydźwięku przekazu), wysłane następnie Dyrektorowi Bardzo Kreatywnemu. Jego sekretarka zadzwoniła już nazajutrz.

– Dyrektor spotka się z tobą w przyszły poniedziałek – oznajmiła.

W reklamie wszyscy są na ty.

***

Legendarna Agencja Reklamowa zajmowała skąpaną w zieleni willę na Żoliborzu. Przy wejściu powitał mnie ideał recepcjonistki. Dziewczyna budziła sympatię, zaufanie i pożądanie zarazem. Budziła też pewnie co rano jakiegoś wyjątkowego szczęściarza...

– W czym mogę pomóc? – zapytała.

– Ja do Dyrektora Bardzo Kreatywnego...

– Ach, ty pewnie jesteś Artur? – W reklamie faktycznie wszyscy są na ty. – Dyrektor akurat medytuje. Więc musisz chwilę poczekać. Siadaj sobie, siadaj. Kawki?

Sącząc espresso, dyskretnie obserwowałem ruch w hallu agencji. Sami kloszardzi. A na każdym – na moje oko – tak z półtora tysia.

Po kwadransie Dyrektor chyba skończył jednoczyć się z absolutem, bo zostałem poproszony. Z duszą na ramieniu wszedłem do olbrzymiego pokoju o ścianach pokrytych różnobarwnym graffiti. Na jednej z nich wisiał dodatkowo indiański łuk. Jak nic oryginalny, pamiętający Little Bighorn i pogrom wojsk Custera. Podłoga na lewo od wejścia w całości zasłana była czarnymi piankami w formacie A2, które ktoś w pocie czoła pooklejał wydrukami storyboardów*. Pomiędzy piankami stał – do góry kołami – legendarny rower Ukraina. Półki na lewej stronie uginały się pod ciężarem Złotych Orłów, Srebrnych Strzał i Brązowych Lwów, którymi obsypano genialne koncepty Dyrektora. Na stoliku z przedwojennej maszyny do szycia, pośród sterty branżowych magazynów królował najnowszy model MacBooka. Naprzeciw drzwi, pod oknem, na prostej bambusowej macie siedział po turecku On. Bosy, w szerokich lnianych spodniach i koszulce z podobizną Hannibala Lectera powieloną techniką Warhola. Długa broda i opadające na ramiona włosy. Wypisz wymaluj – prorok. Oświecony jak jasna cholera. Gość ma coś z Boba, pomyślałem. Czyli jestem w domu. Będzie fura, będą lofty, będzie Vegas!

Dyrektor Bardzo Kreatywny zaciągnął się głęboko grubym skrętem (w którym mógł być jedynie tytoń, ale równie dobrze mogła znajdować się tam cała mądrość wszechświata) i zwrócił się do mnie, oczywiście na ty:

– No cześć, chłopaku. Mesjasz, jak rozumiem? Cholernie mocny przekaz z tym krzyżem, cholernie mocny. Na początku myślę sobie: co za ordynarny, świętokradczy banał! Ale potem dotarło do mnie, że to drugie piętro ironii. Spoko przekrętka, naprawdę. Masz potencjał, chłopaku, masz potencjał.

– Dziękuję...

---

* Storyboard – seria obrazków lub szkiców będących wskazówkami dla aktorów, reżyserów, operatorów, scenografów i montażystów pracujących przy filmie lub spocie reklamowym.

– I widzę, że masz też stajla – dodał, taksując moje przepłacone dziury i obcierki.

– Mam chyba wszystkie cechy wymienione w ogłoszeniu – postanowiłem przejść do sedna.

– Mocne ogłoszenie, co? Cała prawda między oczy. Moje słowa, chłopaku, moje słowa.

– Rzeczywiście mocne...

– Ale do rzeczy, chłopaku. Masz ty jakieś portfolio?

– Jeszcze nie, ale liczę na to, że pan to wkrótce zmieni.

– Jaki pan? Jaki pan? Mów mi Jaro, chłopaku! Jaro! Kumasz?

– Myślę, że kumam.

– No dobra... A powiedz ty mi, chłopaku, co cię właściwie kręci? Tak, wiesz, na co dzień.

– Sztuka. Alternatywa oczywiście. – Instynktownie poczułem, że to będzie żarło. I żarło.

– Tylko alternatywa, chłopaku, tylko alternatywa! No a czemu chcesz do agencji?

– Chcę tworzyć i dobrze na tym zarabiać – postawiłem na całkowitą szczerość. – Dla artysty lubiącego kawior i szampana nie ma dziś chyba innej drogi.

– Nawet ładnie powiedziane, chłopaku – po krótkim namyśle docenił Jaro. – A jakie reklamy cię grzeją? Widziałeś jakieś moje?

– Wszystkie – tym razem postawiłem na całkowite przeciwieństwo szczerości. – Widziałem wszystkie pana, to znaczy twoje rzeczy. Zajebiste. Takie właśnie grzeją mnie najbardziej.

– No to widzę, że jest chemia. – Jaro gładko przełknął komplement. – Witam w drugim etapie rekrutacji, chłopaku. Wybrałem cię spośród milionów! – spuentował Kazikiem Staszewskim.

– Naprawdę? I nie ma pan, nie masz już do mnie więcej pytań?

– A po co tracić czas, chłopaku? Ja tam już swoje wiem. Wujek Jaro ma nosa nie tylko do koksu – zażartował. Lub nie.

– Super! To co teraz? Jakie będą dalsze ruchy?

– Jakie ruchy, pytasz? Zróbmy może tak... – Jaro podszedł do sterty czarnych pianek prezentacyjnych i wyciągnął spod nich reklamówkę pełną VHS-ów (wtedy ta technologia trzymała się jeszcze całkiem nieźle). – Weź to, chłopaku, przejrzyj i zobacz, czy czujesz się na siłach wymyślać takie rzeczy. To wszystkie Palmy, Orły i Strzały z ostatnich lat. Wróć mi tu za tydzień o tej samej porze. Tylko z kasetami, chłopaku! Aha, i skrobnij mi jakiś scenariusz spotu. Mówię o telewizji. Niech będą na przykład tampony, takie superchłonne. Tampomax, powiedzmy. Jak się wykażesz, to pomyślimy... A teraz zmykaj już, chłopaku. Za chwilę mam lunch z prezesem. Cześć, cześć.

***

Wszystkie VHS-y z reklamówki obejrzałem jeszcze tego samego dnia. Następnego zresztą też. I kolejnego. Same majstersztyki. Intelektualne przekrętki, gry słowne, drugie i trzecie dna. Erudycja, dowcip i brawura. Tylko czemu, kurwa, nie widziałem tych rzeczy nigdy wcześniej?! Przecież telewizor to mój serdeczny druh. Cóż, wtedy jeszcze nie wiedziałem, że wszystkie reklamy na tych VHS-ach to wersje autorskie, emitowane przez agencje na własny koszt, często tylko raz, w najtańszym paśmie antenowym, w środku tygodnia i w środku nocy. Żadne z tych dzieł

w niczym nie przypominało swojego odpowiednika sprze-
danego klientowi i puszczanego przez niego na okrągło
w moim telewizorze.

Na potężnym VHS-owym haju zasiadłem do pracy domo-
wej, którą zadał mi Jaro. Czułem, że to się musi udać. Superchłonne tampony, tak? Hm, niech pomyślę...

Odrzuciłem sztampowe dyrdymały o maksymalnej
ochronie i wygodzie w tych – rzygam tą zbitką wyrazową
– trudnych dniach. I o nierezygnowaniu z basenu, jogi
i pilatesu, nawet w apogeum menstruacyjnych boleści.
Wszystko to już było i nie wróci więcej. Przynajmniej nie
u mnie. A i dyrektor Jaro na sto procent czekał na coś zupełnie innego.

Po trzech kwadransach i dwóch red bullach wymyśliłem
historię o dwóch laskach opalających się na przepięknej
tropikalnej plaży. Każda na swoim kocu – brunetka na żółtym, blondynka na bordowym (czułem, że kontrasty to podstawa). No i w końcu, nie ma siły, trzeba się wykąpać.
Pierwsza rusza do morza brunetka. Przepływa raptem kilka metrów, kiedy tuż obok niej pojawia się ogromna rekinia
płetwa. Bestia poczuła krew. Brunetka, miotając się rozpaczliwie, idzie pod wodę i już, bidulka, nie wypływa.
Po chwili do morza wchodzi dla odmiany blondynka. Pływa
sobie, kompletnie olewając krążące wokół ludojady. Po kąpieli spokojnie wraca na czerwony koc. Nic jej się nie stało
– drapieżniki nie poczuły krwi. Dlaczego? Bo tampomaxy,
których używa, chłoną sto procent każdego zapachu i smaku. I dziewczyna jest całkowicie bezpieczna, nawet w tych
– znów ta rzygliwa zbitka – trudnych dniach. Brunetka wybrała oczywiście inną, tańszą markę tamponów. No i ma

za swoje. Było nie skąpić. Dobre? Nie byłem pewien. Jaro raczej by to kupił. Ale czy kupiłby to klient?

Postanowiłem myśleć dalej. I chyba wymyśliłem.

***

Superchłonne tampony Tampomax – scenariusz spotu TV (30 sekund)

Obraz:

Piękny letni dzień. Gładka tafla wody połyskująca w blasku słońca. Na środku jeziora samotna drewniana łódka wiosłowa o czerwonych burtach. Na dnie łodzi, półleżąc, z głową opartą o ławeczkę, relaksuje się młoda, atrakcyjna kobieta. Jasne jeansy podwinięte za kolana i biała bluzeczka na ramiączkach przyjemnie kontrastują z ciemnozłotą opalenizną. Długie, lśniące blond włosy upięte są w kucyk. Oczy zamknięte. W uszach słuchawki od iPoda. Sam odtwarzacz leży na ławeczce, o którą opiera się dziewczyna.

Dźwięk:

Łagodna, chilloutowa muzyka.

Obraz:

Słońce chowa się za chmurą. Niebo ciemnieje i pojawia się na nim pojedyncza błyskawica. Zrywa się wiatr. Tafla jeziora zaczyna niespokojnie falować.

Dźwięk:

Nadal ta sama chilloutowa muzyka.

Obraz:

Fale stają się coraz większe. Łódką porządnie buja. Odtwarzacz MP3 zsuwa się z ławeczki i ląduje w jeziorze. Dziewczyna zrywa się, chwyta wiosła i zaczyna gwałtownie wiosłować w stronę brzegu.

Dźwięk:

Muzyka milknie w chwili, gdy iPod wpada do wody. Teraz słyszymy tylko narastający szum wiatru i odgłos piorunów.

Lektor:

– Są takie chwile, kiedy nic już nie gra...

Obraz:

Dziewczyna wiosłuje jak szalona. Ale do brzegu ma jeszcze spory kawałek. W pewnym momencie czuje, że pod jej stopami robi się podejrzanie mokro. Spuszcza wzrok i dostrzega na dnie łódki dziurę o średnicy kciuka. Przez dziurę dość szybko wlewa się woda.

Dźwięk:

Odgłosy burzy.

Lektor:

–... i wcale nie musisz szukać, by znaleźć dziurę w całym.

Obraz:

Brzeg niby jest już blisko, ale dziewczyna wie, że nie da rady tam dopłynąć, jeśli szybko nie powstrzyma wdzierającej się przez dziurę wody. Bez paniki sięga po plecak i wyciąga z niego pudełko tamponów Tampomax. Jednym z nich zatyka dziurę w dnie łódki. Dopływ wody zostaje natychmiast powstrzymany. Dziewczyna spokojnie wiosłuje w stronę brzegu.

Dźwięk:

Nadal odgłosy burzy, ale wyraźnie słabnące.

Lektor:

– Sięgnij wtedy po superchłonny tampon Tampomax, który wyratuje cię z każdej opresji. Możesz mu zaufać, bo w krytycznym momencie nie przepuści nawet kropelki.

Obraz:

Niebo powoli się rozpogadza. Przez chmury przebijają się pierwsze promienie słońca. Dziewczyna dopływa do brzegu i cumuje łódź. Zwinnie wyskakuje na pomost i rusza w stronę grupki młodych kobiet, które patrzą na nią z wyraźną troską - przecież dopiero co przeżyła burzę na środku jeziora. Dziewczyna posyła im przepiękny, uspokajający uśmiech i mijając je, rzuca w ich kierunku opakowanie tamponów. Kamera podąża za opakowaniem. Stopklatka w najwyższym punkcie lotu. Produkt na tle słonecznego nieba.

Dźwięk:

Łagodna, chilloutowa muzyka, której bohaterka słuchała na łodzi.

Lektor:

- Znasz sekret najlepszej ochrony? Podziel się nim z innymi!

Obraz:

Zbliżenie na czerwone opakowanie tampomaxów, poniżej tekst: „Tampomax. Podręczny sprzęt ratunkowy".

Dźwięk:

Wciąż chilloutowa muzyka z łódki.

Lektor (powtarza tekst, który widzimy na ekranie):

- Tampomax. Podręczny sprzęt ratunkowy.

***

Rozpisałem scenariusz mojego spotu według wygooglowanego wcześniej wzoru. Trzy razy upewniłem się, czy nie ma w nim jakiejś literówki. Potem całość wydrukowałem i nakleiłem na czarną piankę w formacie A3. Dyrektor Jaro powinien docenić taką profeskę. W sklepie dla plastyków dokupiłem specjalną czarną teczkę na rysunki – nie będę przecież dymał przez pół miasta z wielką pianką pod pachą.

Równo tydzień po pierwszej wizycie w Legendarnej pojawiłem się tam znowu. Z teczką i plecakiem pełnym VHS-ów. Uśmiechem powitałem znajomy ideał recepcjonistki. Budziła wszystkie te emocje co poprzednio.

– Ja tradycyjnie – do Dyrektora Bardzo Kreatywnego – oznajmiłem, zanim zdążyła spytać, w czym może pomóc. – Byłem umówiony.

– Chwileczkę – rzuciła okiem na grafik spotkań. – Przykro mi, ale dyrektor jest dziś przez cały dzień na spotkaniu z zarządem. Wdraża się...

– W co się wdraża?! Jak się wdraża?! Przecież jest tu od zawsze! – Niezbyt dobrze ukrywam irytację, taki już jestem. – No i powiedział wyraźnie: za tydzień o tej samej porze.

– A, tobie chodzi o Jarosława? – spytała cokolwiek retorycznie. – Niestety, już u nas nie pracuje.

– Jak to nie pracuje?! Przeniósł się?

– Hm, to raczej jego przenieśli...

– Jak to przenieśli? Kto? Dokąd?

– Przenieśli. I to dosłownie – zniżyła głos, pochylając się konfidencjonalnie nad swoim kontuarkiem. – Sanitariusze. Wiesz, w spokojniejsze miejsce.

– A co się stało?!

– Wiesz, parę dni temu ogłaszali nominacje do tegorocznych Strzał. Nie było go na liście. Pierwszy raz. Wcześniej zawsze był. Z początku nie dowierzał. Myślał, że ci od Strzał tylko tak go wkręcają. Ale nic z tych rzeczy. Zadzwonił do nich i okazało się, że oni tak na serio. No więc zamknął się w swoim gabinecie. Na całe dwa dni. Na przemian medytował, wciągał koks, pił i słuchał death metalu. Nie spał. Nie jadł. Nie odbierał telefonu. Nikogo też nie wpuszczał. Nagle trzeciego dnia wyjechał z gabinetu na tej swojej wielkiej ukrainie. Pedałował po korytarzu i strzelał do wszystkiego, co się rusza. Z tego cholernego łuku! Najpierw miotał tylko Strzały, ale potem to już nawet Orły i Lwy! Jednej graficzce nabił takie limo, że dziewczyna do dziś chodzi w ciemnych okularach. Sam prezes próbował go uspokoić, ale dostał Lwem prosto w grzywę. No to zadzwonił po fachowców. Jak tylko Jarosław ich zobaczył, natychmiast znów się zabarykadował. Szturmowali drzwi chyba z pół godziny. W końcu wynieśli go stamtąd. W kaftanie. Jak go taszczyli do karetki, to darł się, że to cholerny spisek. Że za tym wszystkim stoją te mendy z Największej Sieciowej. Że Janek Wiśniewski padł. Ale że powstanie. I że jeszcze tu wróci...

– A ty myślisz, że wróci?

– Wątpię. Prezes z miejsca zatrudnił nowego kreatywnego. Wiesz, mamy teraz sporo roboty. Kampanie, przetargi. Duże budżety. Ktoś to musi poogarniać.

– Ale ciągle szukacie copywritera, tak? – pociągnąłem dialog lekko w swoją stronę.

– No chyba nie za bardzo. Nowy dyrektor zatrudnił już swojego. Chłopak napisał spot dla tego nowego, odchudzającego majonezu. Na pewno kojarzysz. Puszczają to teraz na okrągło w telewizji.

– Owszem, kojarzę. Ale co ze mną?

– Nie wiem, naprawdę – w jej głosie usłyszałem nutkę współczucia. – Wszystkie rekrutacje Jarosława zostały unieważnione. Wiesz, on był, okazało się, niepoczytalny. Prezes bał się, że facet ściągnie nam tu cholera wie kogo. Przykro mi, raczej nie mogę nic dla ciebie zrobić.

– A może jednak możesz. – Poczułem, jak w głowie kiełkuje mi nowa, śmiała, choć jeszcze nie do końca konkretna myśl. – Powiedz mi, dokąd zabrali Jarosława. Naprawdę muszę się z nim zobaczyć. Widzisz, moja kariera zawisła na włosku... Pomożesz?

– Hm, nie powinnam – zawahała się. – Ale co tam, chyba ci się to należy. Szpital na Sobieskiego. Oddział F1. Psychiatria. To wszystko, co wiem. Powodzenia!

***

Drzwi na oddziale F1, wbrew obiegowym opiniom, bez wyjątku miały klamki. Po naciśnięciu jednej z nich znalazłem się w sali, w której mieszkał teraz dyrektor Jaro. Od razu go poznałem po tej jego proroczej brodzie. Leżał na wznak, bezmyślnie wgapiony w sufit. Na pierwszy rzut oka – rasowy katatonik. Zajmował łóżko pod oknem. Pozostałe prycze wyglądały na nieużywane. Stanąłem w nogach łóżka, w promieniach wpadającego przez szybę wiosennego słońca.

– Witaj, Jarosławie – zagaiłem najłagodniejszym tonem, na jaki było mnie stać. – To ja, twój Mesjasz.

Jaro aż podskoczył, gwałtownie przechodząc do siadu. Wybałuszył na mnie przerażone oczy. Ale już po chwili bijący ode mnie blask (chyba nie wiedział, że słoneczny) odrobinę go uspokoił. Blask i obecny w jego krwiobiegu koktajl szpitalnych dragów.

– Witaj, Mesjaszu, panie mój. – Jaro zdecydowanie nadinterpretował charakter mojej aureoli. – Jam niegodzien ran twoich kłutych całować. Jam bogów miał cudzych przed tobą. Jam mantry mamrotał, czakramy na oścież otwierał...

– Jarosławie... – próbowałem dojść do głosu.

–... jam ojca swego nie czcił i chujem po wielokroć nazywał. Jam żony bliźniego swego co drugiego pożądał. Jam nieumiarkowany był w sushi jedzeniu i absyntu piciu...

Trzeba przyznać, że facet nieźle czuł się w okołobiblijnej stylistyce.

– Jarosławie...

–... jam koks całymi torbami wciągał i w płatnej rozpuście się nurzał. – Jaro wyraźnie się rozkręcał. Naprawdę obłędne prochy serwuje ta nasza służba zdrowia. – Lecz wybacz mi, panie, bom nie zawsze wiedział, co czynię. Wybacz i zabierz mnie do królestwa swego, bym po prawicy twej mógł na wieki wieków zasiadać...

– Zamilcz, Jarosławie! – przerwałem mu swoim najbardziej władczym tonem. – Mam do ciebie sprawę. Prośbę właściwie.

– O panie, jam sługa twój uniżony. Jam prośbom twym bez zwłoki rad zadośćuczynić. – Jaro pokornie spuścił wzrok.

– A więc powiedz mi, Jarosławie, czy masz ty wysoko postawionych przyjaciół w reklamowym światku?

– Mam, o panie! Choć to ludzie bez wyjątku grzeszni, łask twych w najmniejszym stopniu niegodni.

– Nie szkodzi. A który z nich jest, hm, najbardziej decyzyjny?

– Bernard, o panie – odparł po krótkim namyśle. – On agencją swą własną zarządza.

– A dobrze się znacie?

– O tak, mój panie. To jam go onegdaj do reklamowego rzemiosła przysposabiał.

– A więc, Jarosławie, napiszesz mi tu zaraz list do tego Bernarda.

– Bądź wola twoja, o panie! – Niepewnie podniósł wzrok na moją skąpaną w słońcu twarz.

– Tak, Jarosławie? – Czułem, że trzeba jak najszybciej przerwać te oględziny.

– Wybacz mą śmiałość, o panie, ale oblicze twe znajomym mi się wydało...

– Nie dziwne, że skądś mnie znasz, Jarosławie. Bo staram się być wszędzie. A teraz pisz już, mój synu. – Podałem mu kartkę i długopis. – Podyktuję ci.

Warszawa, kwiecień 2002

Bernardzie,

kopę lat! Ale do rzeczy...

Dzieciak, który odda Ci ten list, jest copywriterem. Nie ma doświadczenia agencyjnego, ale czai bazę i będą z niego ludzie, Wujek Jaro Ci to mówi. Mam u niego dług wdzięczności. Wypisz wymaluj jak Ty u mnie ;) Myślę, że wiem, jak spłacić oba naraz. Jeśli masz jakiś wakat w kreacji, to daj młodemu szansę. Jak wakatu brak, to weź go chociaż na płatny staż. Przetestuj. Niech sobie trochę popisze. Popisze się – zostawisz. Da ciała – spławisz. A dzieciak wrzuci sobie ten twój staż do CV i będzie miał przynajmniej z czym ruszać dalej w miasto.

Jak Cię znam, to pewnie móżdżysz, czemu sam nie dałem mu roboty. Dałbym od ręki, tyle że musiałem na jakiś czas wymiksować się z branży. Jak wrócę, umówimy się na kawkę. Może w Między Nami? Albo w Regeneracji?

Liczę na Ciebie, Bernardzie.

Ściskam, Jaro

– Żegnaj, Jarosławie – rzuciłem, chowając list do kieszeni.

– Właśnie zaliczyłeś naprawdę dobry uczynek. Kto wie, może ten cały koks zostanie ci nawet odpuszczony. Ty też go już sobie raczej odpuść.

***

Jaro musiał chyba sporo znaczyć na mieście, bo Bernard zadzwonił do mnie błyskawicznie. Powiedział, że dostał list. I że zaprasza mnie na spotkanie. Jego agencja zajmowała połowę dwupiętrowego bliźniaka na górnym Mokotowie. Cisza, spokój, starodrzew. Drzwi otworzył mi osobiście. Pogodny, wysportowany trzydziestopięciolatek. W swoim świetnie skrojonym garniturze za cholerę nie przypominał kloszarda. Od razu skojarzył mi się z facetami z sali konferencyjnej, do której wpadł filmowy Bob. W głowie zaczęła mi się klarować wstępna agencyjna typologia. W kreacji kloszardzi, a do zarządzania firmą i bajerowania klientów – szykowne japiszony.

– Witaj, Arturze – zagaił Bernard (niby na ty, ale jednak w wołaczu). – Co za punktualność! Ważna cecha w naszej branży. Jestem Bernard. Zapraszam, czekałem na ciebie.

Gabinet Bernarda to zdecydowanie nie był klimat Boba. Ani dyrektora Jaro. Zero europalet, zero skrzynek po warzywach, zero graffiti. Tylko jasne, schludne meble biurowe z Ikei. I spora bateria czarnych segregatorów na dokumenty. Funkcjonalny minimalizm, pruski ordnung.

– Jak wiesz, siedzisz tu teraz, bo Jaro bardzo cię polecał – przeszedł do rzeczy bez zbędnych ceregieli. – Ostatnio

23

chwalił tak kogoś jeszcze w dwudziestym wieku. Czyli musisz być niezły. Bo ten gość zawsze miał nosa.

– Też tak słyszałem. Podobno jego nos wywęszył niejeden talent. Chociażby twój. – Uznałem, że warto zagrać na jego poczuciu wdzięczności. Zręczna manipulacja to w końcu podstawa udanego interview.

– Dawne czasy. – Bernard uśmiechnął się nostalgicznie. – Wiesz, ja wtedy koniecznie chciałem być kreatywnym. Jaro wziął mnie pod swoje skrzydła i szybko odkrył, że... moje pomysły są do bani. Ale wyczuł we mnie dobrego ekanta* i posłał do pracy z klientem. Powiedział, że jak nikt potrafię wchodzić ludziom w tyłek i wracać stamtąd z walizką pieniędzy. Czas pokazał, że miał facet rację.

– Mam nadzieję, że na mnie też się poznał. – Trochę skromności nigdy nie zawadzi.

– Cóż, przekonajmy się. Tak się składa, że akurat mam coś dla ciebie.

Właściwie o nic mnie nie zapytał. Szybko ustaliliśmy wszystkie szczegóły. Junior copywriter. Od 9.00 do 17.00, ale czasem trzeba zostać. Dwa tysiące na rękę. Na razie umowa o dzieło. Trzy miesiące na wykazanie się. Co potem? Zobaczymy. Wszystko w moich rękach.

– No to witaj na pokładzie! – Bernard energicznie potrząsnął moją dłonią. – Zaczniesz od poniedziałku. Po agencji oprowadzi cię Krzysiek Kot, nasz główny copywriter. On ci wszystko pokaże i wytłumaczy, co i jak.

---

* Ekant – branżowy skrót od angielskiego *account manager*; opiekun klienta, pracownik odpowiedzialny za kontakt z klientem i przekazywanie jego uwag do odpowiednich działów firmy.

***

W sumie to już od małego czerpałem korzyści z pisania. W podstawówce często trzaskałem wypracowania kolegom z klasy. Praca na trójkę – batonik. Na czwórkę – tabliczka czekolady. Na piątkę – na piątkę jesteś za głupi. A ja na twoją piątkę zbyt ostrożny. Klientela – dzieciaki, które z domów wynosiły polszczyznę pozwalającą kupić fajki, zamówić browar, pozdrowić papieża, zachęcić do kopulacji i, od biedy, wyłudzić zasiłek. Jednak nieogarniającą tych wszystkich nieżyciowych zagadnień serwowanych przez naszą zakochaną w swojej robocie polonistkę. Samotność Robinsona Crusoe? Bohaterskie poświęcenie Nemeczka? Zwierzęcy magnetyzm Tarzana? Zrozumiałem, że niektórzy na takie tematy są w stanie wypowiadać się tylko wtedy, kiedy użyczę im swojego głosu. No to użyczałem i żarłem te ich słodkie fanty. Jeszcze przed końcem podstawówki nabawiłem się plomb we wszystkich zębach. Sukces ma swoją cenę.

W liceum sytuacja się zmieniła. Nie pisałem już za kogoś, ale dla kogoś. Dla dziewczyn. Zwłaszcza dla tych ładniejszych. To były czasy, kiedy nawiedzone banialuki wzorowane na wczesnym Mickiewiczu potrafiły otworzyć na oścież niejeden damski rozporek. Czyli znowu czysty zysk.

Na anglistyce popisałem trochę w wydziałowym periodyku literackim. Popisałem, popisałem i chyba już wtedy się popisałem, bo wylądowałem na półrocznym stypendium w Londynie. Poduczyłem się trochę cockneya. Pochodziłem na mecze Arsenalu. Napstrykałem sobie fotek z Einsteinem i Jaggerem u Madame Tussauds. Pogapiłem się na futrzane czapy pod Pałacem Buckingham i na impresjonistów w National Gallery. Skoczyłem też na bungee z Tower Bridge. Jak by na to nie patrzeć – doświadczenia na wagę złota.

Zawsze jakoś korzystałem na składaniu wyrazów w zdania. Ale dopiero teraz, u Bernarda, miałem to robić za prawdziwe pieniądze.

***

Na początek zwiedziłem agencję Bernarda, od parteru po dach. Na dole, oprócz znanego mi już gabinetu prezesa, znajdowały się salka konferencyjna i pokój niejakiego Mariusza, dyrektora i zarazem jedynego pracownika działu produkcji. Sam Mariusz, czterdziestoletni dwumetrowy drągal, ewidentnie starał się konkurować z Bernardem na polu elegancji. Jednak absolutnie nie dorównywał mu zmysłem estetycznym. Stonowane dodatki Bernarda znamionowały klasę, pstrokate błyskotki Mariusza – źle wydane pieniądze nuworysza.

Najmniejszy pokoik na tej kondygnacji zajmowała Marta, ekantka odpowiedzialna za pośrednictwo w niełatwych kontaktach między działem kreacji a klientami. Od razu polubiłem jej ogromne, jędrne piersi. Od razu też nie polubiłem determinacji, z jaką starała się te piersi maskować. Przy takim marnotrawstwie bogactw naturalnych Ziemia rzeczywiście skazana jest na zagładę. Summa summarum na parterze same japiszony. Chociaż Bernard preferował określenie „dorośli".

Na pierwszym piętrze urzędowała kreacja. Ogromny pokój grafików sąsiadował z klitką copywriterów. Jednak to właśnie ta klitka, teraz już trochę moja, miała w zestawie cudowny balkon z widokiem na ogród. Na balkonie, niedbale oparty o barierkę, stał, ćmiąc papierosa i obserwując świat zza zasłony przeciwsłonecznych okularów, kloszard doskonały. Mieć na sobie dwie średnie krajowe i wyglądać przy tym, jakby dopiero co wstało się z ciepłego barłogu za śmietnikiem – oto prawdziwa kreatywność!

– Cześć, chłopaku – przywitał mnie leniwie. – Jestem Krzysiek Kot. Copy* tu piszę. To co? Od dziś razem będziemy rzucać perły przed wieprze?

– Z dziką rozkoszą. – Wysiliłem się na luz. – Jedźmy z tym koksem, choćby zaraz! – Mój zapał zabrzmiał cokolwiek nerwowo, nawet dla mnie.

– E tam, nie pali się. Robota nie chuj, jak to mówią. Może stać i dwa dni – zręcznie rozładował atmosferę Kot. – Chodź, najpierw poznam cię z resztą kreacji.

Delikatnie popchnął mnie w kierunku pokoju grafików. Nawet pod dachem nie zdejmował swoich ciemnych okularów w stylu wczesnego Bono. Jak wyznał mi nieco później, w zasadzie w ogóle ich nie zdejmował. No, może do snu. A i to zależało od tego, z kim akurat spał.

U grafików tłoku nie było – pojedynczy kloszard w stylu rasta.

– Oto Marley – przedstawił go Kot. – Mistrz tabletu, król rysika, ajatollah komiksowej kreski. Natchniony ilustrator i wybitny storyboardzista.

– Siemanko, człowieku man! – Marley szeroko rozłożył ramiona i energicznie uściskał mnie sposobem na niedźwiedzia, oplątując przy tym moją głowę grubymi lianami swoich dredów. – Nie słuchaj tego wazeliniarza, man. Zawsze tak mi włazi w tyłek, kiedy potrzebuje zioła na wieczór.

---

* Copy – tekst reklamy, treść komunikatu reklamowego.

W tym momencie do pokoju wparował szczupły blondynek z zabawnym kucykiem na czubku głowy. Kloszard, rzecz jasna.

– Mieszko, Mieszko, nasz koleżko! – radośnie powitał go Marley, po czym obaj przystąpili do niezwykle skomplikowanego rytuału przybijania piątek i trzaskania żółwików.

– Poznajcie się – przedstawił nas sobie Kot. – Artur, nasz fabrycznie nowy copywriter. Mieszko, nasz dość już przechodzony grafik.

– Może i przechodzony, ale jednak art director – zupełnie na poważnie poprawił go Mieszko. – Grafik to mają w fabryce. Czasem nawet bardzo napięty – dodał po chwili, próbując obrócić poprzednią część swojej wypowiedzi w żart. Ale pierwszego wrażenia już nie zatarł.

– Dość tego smerania się po jajcach! Kończyć mi te pedalskie gadki! – zabrzmiał za naszymi plecami bardzo niski, ale jednak damski głos. – Robota stygnie, terminy gonią. Ruchy, ruchy! Jestem Helga – przedstawiła się właścicielka głosu, miażdżąc moją dłoń w żelaznym uścisku cyborga.

– Trzeba oddać jej starym, że mieli intuicję, co? – mrugnął porozumiewawczo Kot. – Ochrzciłbyś ją lepiej, chłopaku?

– Te, wesołek! – Helga najwyraźniej zostawiała poczucie humoru w domu. – A gdzie są moje teksty do gazetki Top Mediki? Miały być na rano, a już prawie południe.

– A tak dokładnie to dziewiąta pięćdziesiąt – spokojnie doprecyzował Kot. – Wszystkie teksty mam gotowe. Zaraz ci wysyłam. Tylko wrócę do siebie.

– No to co tu jeszcze robisz?! Krzyżyk na drogę! – Nasza wizyta u grafików najwyraźniej dobiegała końca. – A wy co się gapicie?! – Teraz Helga wzięła na warsztat kolegów z pokoju. – Marley, ogarnij ten chlew na biurku, ale migiem! Jak można pracować w takim syfie?! Mieszko, znów prawie godzina spóźnienia! Pies ci, kurwa, budzik zeżarł?!

– Chodźmy na górę – zaproponował Kot, zatrzaskując za sobą drzwi do piekła. – Przedstawię ci chłopaków z DTP*.

– A te jej teksty?

– Spoko, zdążę jej wysłać, zanim skończy opieprzać chłopaków. Sam widzisz, jak się nakręciła. Ale co się dziwić – menopauza tuż-tuż.

Na ostatnim piętrze było jedno wielkie otwarte pomieszczenie. Pracowało tu dwóch barczystych brodaczy: długowłosy Zbig i łysy jak kolano Greg. Zbig miał chyba więcej tatuaży niż kolczyków. Greg na moje oko wręcz odwrotnie. W swoich skórzanych katanach i ciężkich glanach od razu skojarzyli mi się z motocyklowym gangiem Hells Angels. Zwłaszcza że z głośników podwieszonych pod sufitem łomotała głośna hardrockowa muzyka. Brodacze siedzieli plecami do siebie przed ogromnymi panoramicznymi monitorami ustawionymi na grubych dębowych blatach. Pod blatami połyskiwały metaliczną karoserią legendarne „gieczwórki" Apple'a – prawdziwe harleye ówczesnego świata komputerów.

– Siemasz, człowieku! – powitał mnie Zbig.

– Strzała, chłopie! – zawtórował mu Greg.

– Witamy w dziale DTP – to znów Zbig.

---

* DTP (ang. *desktop publishing*) – przygotowanie na komputerze materiałów, które są później drukowane albo publikowane w postaci elektronicznej.

– Czyli w cuchnącym permanentnym zatorem odbycie naszej kochanej agencji – a to znów Greg. – To właśnie tutaj wysrywamy na świat te wszystkie powykręcane gówienka, które beztrosko i bez opamiętania lepicie sobie piętro niżej.

– Chcesz pogadać o fekaliach? Wal do studia DTP – zareklamował chłopaków Kot. – Jak cię kręci ekstremalne bukkake albo inwazyjny piercing genitalny, to też poczujesz się tu jak w domu.

– Fakt, te tematy mamy nieźle rozpoznane – przyznał nie bez dumy Zbig.

– No i – co najważniejsze – tu, u chłopaków, zawsze można bezpiecznie zbunkrować się przed prezesem – zakończył wyliczanie zalet drugiego piętra Kot. – Przenigdy tu nie zagląda.

– Za głośno dla niego – uśmiechnął się Greg, wskazując głową głośniki.

– I za daleko – mruknął pod nosem Zbig. – Aż dwa piętra. Szkoda butów. Ponoć drogie. W końcu z Mediolanu.

Moja agencyjna typologia wzbogaciła się tego dnia o kolejną grupę zawodową. Japiszońscy ekanci, kloszardzi z kreacji i Hells Angels z DTP. Myślę, że taki podział z grubsza odzwierciedlał sytuację w większości warszawskich agencji w pierwszej dekadzie XXI wieku. Później kloszardów wyparli z kreacji hipsterzy. Wykluł się także zupełnie nowy gatunek człowieka reklamy: jajogłowy informatyk z działu interactive. Ale to już zupełnie inna historia.

***

– No, teksty wysłane – oznajmił Kot, stając w drzwiach balkonowych z papierosem w ustach. – Teraz Helga musi powlewać je do layoutu. Czyli mamy tak ze trzy godzinki spokoju. Chodź, zajaramy.

– Co to za gazetka? – spytałem, odpalając camela.

– Top Mediki. Różne takie preparaty bez recepty. Paraleki. Na katar, na stres, na sklerozę. Maseczki do włosów i czopki do odbytu. Wiesz, mydło i powidło. I my co miesiąc trzaskamy dla nich takie pisemko. Dwadzieścia parę stron. Gruba, nachalna demagogia. Leży to to potem w aptekach i jak się nudzisz w kolejce, to zawsze możesz się trochę zindoktrynować.

– I Helga to projektuje, tak?

– Projektuje to chyba za duże słowo – sprostował Kot. – Layout jest zawsze taki sam. Za każdym razem trzeba tylko popodmieniać foty i powlewać copy. No i machnąć nową okładkę. Zresztą sam zobaczysz. Już niedługo zaczynamy kolejny numer. Jesienne promocje. Dostaniesz swoją działkę do obrobienia.

– Mam się szykować na coś jeszcze?

– Tak, Bernard dał już cynk, że na dniach stajemy do jakiegoś przetargu. Podobno duży ATL*. Czytaj: dobra zabawa. Ale szczegółów nie znam. Czekamy na brief.

– Brief? – Nie lubię udawać, że coś wiem, kiedy nie wiem.

– Taki dokument od klienta. Parę słów o produkcie. I parę o marce. Info, czy napinamy się na sprzedaż, czy na wizerunek. Trochę o grupie docelowej. I o tym, w jakich mediach ma śmigać kampania. No i budżet, czyli ile klient ma do wydania. Prawie zawsze za mało. Już na starcie trzeba się

---

* ATL (ang. *above the line*) – działania reklamowe w mediach tradycyjnych typu telewizja, radio, prasa, reklama zewnętrzna (outdoor) oraz reklama wewnętrzna (indoor).

napierdalać o więcej. Briefy przychodzą do prezesa. A on rozsyła je dalej. Wycina tylko ten fragment o kasie. Żebyśmy non stop nie łazili do niego po podwyżki. Tak to przynajmniej argumentuje.

– No dobra, brief wychodzi od Bernarda. I co potem?

– Potem do gry wchodzę ja. To znaczy my, dział copy – poprawił się taktownie. – Wymyślamy koncepcje. Najlepiej kilka, żeby było z czego wybierać. Od razu z headline'ami*, bo one ustawiają cały przekaz. Później jest spotkanie z grafikami. Omawiamy każdy pomysł i głosujemy. Trzy najlepsze koncepcje idą do realizacji. Jedną robi Helga. Drugą Mieszko. A trzecią zwykle wrzucamy Alfowi. To freelancer. Naprawdę zna się na robocie. Tylko nie zna się na kalendarzu. Ani na zegarku. Zawsze zrobi dobry projekt, z tym że nie zawsze w dobrym terminie. Ale jak go przypilnujesz, to przetarg masz w kieszeni. I wtedy do tej kieszeni wpada ci też premia. Maksimum tysiak. Czyli na waciki. Ale zawsze coś.

Ładne mi waciki, pomyślałem, pół mojej pensji. Swoją drogą, ciekawe, ile kasuje Kot?

– No a jak w kampanii jest telewizja – kontynuował – to wszystkie scenariusze spotów idą oczywiście do Marleya. Jego storyboardy po prostu wymiatają. Lepszych ramek na mieście nie dostaniesz. Już się chłopakiem interesowało parę sieciówek. Ale on woli po domowemu, u Bernarda. Ale do rzeczy, stary. No więc jak graficy już zaprojektują, a Marley narysuje, to wszystko to drukujemy i naklejamy na pianki. Tak się te rzeczy najwygodniej prezentuje u klienta.

---

* Headline – hasło przewodnie komunikatu reklamowego.

– A kto jeździ na te prezentacje?

– Najczęściej Bernard i ktoś z kreacji. Dawniej jeździła Helga, ale prezes ją wycofał, bo kiedyś nie wytrzymała nerwowo i wydarła się na jakąś laskę z marketingu. Poszło o rozmiary logo w projekcie. Zawsze, kurwa, chcą powiększać! Nawet jak już nie ma nawet centymetra wolnego miejsca. Podobno Helga wpieniła się wtedy nie na żarty i doradziła tej lasce, żeby zamiast logo powiększyła sobie cycki. Albo lepiej mózg. Bernard musiał stawać na rzęsach, żeby nie stracić zlecenia. No i teraz jeżdżę z nim ja. On robi zawsze taki ogólny wstęp. Rzuca jakiś icebreaker. Pyta, jak minął weekend. Komplementuje wystrój biura. I fryz rozmówcy. Generalnie przygotowuje grunt. Później ja prezentuję nasze koncepcje. Odpowiadam na pytania i bronię projektów. Bo ataki są zawsze. Nawet jak widzę, że prezentacja się podoba. Przypierdalają się dla zasady. Taka konwencja. Trzeba to jakoś wytrzymać. Na koniec Bernard wręcza klientowi nasz kosztorys. I tłumaczy, dlaczego absolutnie nie dało rady zamknąć się w budżecie...

W tym momencie na biurku Kota zadzwonił telefon. Linia wewnętrzna.

– Heldze nie mieszczą się te teksty. Trzeba trochę poprzycinać – wyjaśnił Kot, odkładając słuchawkę. – Machnę to raz-dwa i skoczymy coś przegryźć. Turek czy Chińczyk?

***

Przez pierwsze dni w agencji głównie obserwowałem. Jak Kot do znudzenia przemeblowuje teksty, próbując upchnąć niezbędne informacje w klaustrofobicznej przestrzeni layoutu gazetki. Jak Helga godzinami wertuje banki zdjęć w poszukiwaniu pasujących fotek. Jak oboje w pocie czoła zamykają projekt. Jak klient żąda miliona zmian. Jak Kot walczy z tekstami. Jak Helga walczy z layoutem. Jak oboje walczą z czasem. Jak klient domaga się dalszych korekt. Jak cała sytuacja powtarza się ładnych parę razy. Jak gazetka brzydnie z dnia na dzień. Jak w końcu przychodzi akcept. Jak nasi Hells Angels robią skład DTP. Jak powstaje makieta pisemka. Jak Kot szuka literówek (w agencji nie ma korektora – niech copywriterzy zapracują na te swoje kokosy). Jak powstają cromaliny*. Jak klient je ogląda i akceptuje kolory. Jak gazetka idzie do druku. Jak Mariusz przywozi z drukarni egzemplarz sygnalny. Jak Kot znów sczytuje teksty, czy aby wcześniej nie puścił jakiegoś babola. Jak Helga ostatecznie sprawdza kolory, czy zgodne z cromalinami. Jak cały kilkunastotysięczny nakład trafia w końcu do agencji. I jak razem z fakturą rusza w dalszą drogę – do klienta. Jak klient dzwoni do Bernarda z mordą, że kwota na fakturze szokująca. I do Mariusza, że kolory w gazetce nie bardzo. I jak przychodzi zamówienie na kolejny, jesienny numer pisemka.

**

– Chodź, chłopaku, podzielimy się tekstami. – Kot zasłał całą podłogę naszej klitki wydrukami materiałów z Top Mediki. – Wolisz katar czy sklerozę?

– Chyba katar. Skleroza ciężka rzecz. Nie wiem, czy udźwignę – przemówiła przeze mnie trema debiutanta.

---

* Cromalin – próbny wydruk, wzorzec kolorystyczny dla drukarni, wykorzystywany przy kalibracji maszyn drukarskich.

– No to masz tu info o leku. – Wskazał dwie kartki A4 w samym rogu pokoju. – NoseClear się to nazywa. Machniesz wymyślony wywiadzik z fikcyjną farmaceutką. Że katar prawie zrujnował jej weekendowy wyjazd na grzyby. Że po sobotnim łażeniu po lesie jej mąż i dzieci zaczęli ostro pociągać nosami. I że zawisła nad nimi okrutna groźba wcześniejszego powrotu do domu. Ale na szczęście ona w porę przypomniała sobie o niezawodnych preparatach NoseClear renomowanej firmy Top Medica. I szybciutko zaaplikowała je wszystkim członkom rodziny. Dziecięce dzieciom, dorosłe mężowi. Bo są różne rodzaje. Masz na to całą rozkładówkę. Ale dojdą ci dwie duże foty, więc się ścieśniaj. I pamiętaj o dramatycznym zwrocie akcji. Wiesz, NoseClear pomaga, przez noc następuje cudowne uzdrowienie. No i w niedzielę rano rodzina farmaceutki z uśmiechem rusza po więcej grzybów. I znajduje taaakiego prawdziwka. Giganta! Niezapomniane trofeum. Helga dobierze coś z banku zdjęć. No, to katar mielibyśmy z bańki...

– A co z twoją sklerozą?

– BiloBest – lek na pamięć i koncentrację. Na bazie miłorzębu japońskiego. Zrobili nowe badania wśród staruszków. Wyszło im, że regularne przyjmowanie BiloBestu o siedemnaście procent poprawia – cytuję – rozwiązywalność krzyżówek, o dwadzieścia dziewięć procent zmniejsza zapominalność PIN-u do karty płatniczej i aż o czterdzieści osiem procent zwiększa zapamiętywalność własnego adresu. Muszę te dane jakoś ciekawie opowiedzieć. I to na dwóch rozkładówkach. Helga ma już podobno fajne zdjęcia: babcia nad krzyżówką i dziadzio przy bankomacie. Aha, póki pamiętam – staruszków zawsze nazywamy seniorami. I zawsze piszemy ich wielką literą. Podobnie jak pacjentów, klientów, farmaceutów i apteki. Top Medica to straszni wazeliniarze.

– No dobra, co mamy dalej?

– Dalej mamy czopki PlugIn. Temat do dupy. Dosłownie i w przenośni. Trzeba ostrożnie dobierać słowa. Ja się tym zajmę. Trochę już znam produkt. Chociaż, odpukać, nie z autopsji. To ma być krótkie studium zatwardzenia. Wiesz, parę medycznych terminów, tabelki, wykresy, te klimaty.

– Czyli czopki – nie zrozum mnie źle – bierzesz ty. To ja może wezmę te maski do włosów?

– Spoko, bierz. Potrzebny jest materiał w konwencji kartki z pamiętnika ambitnej bizneswoman. Laska non stop spotyka się z ludźmi. Musi dobrze wyglądać. A tu ni z tego, ni z owego zaczynają jej się przetłuszczać włosy. Dziewucha jest na skraju załamania. Cierpi ona, cierpi jej firma, cierpią dochody. Ale spotyka na ulicy kumpelę z liceum. I ta okazuje się farmaceutką – pamiętaj, przez duże ef. Nasza bizneswoman prosi ją o poradę w kwestii swojej wstydliwej przypadłości. Tak to w jej życiu pojawia się SebumController, rewolucyjna maska do włosów. I już po pierwszym zastosowaniu znów jest pięknie. Laska staje się jeszcze skuteczniejsza w biznesie – wiadomo, ciężkie przejścia wzmacniają ludzi. Jej firma kwitnie, portfel pęcznieje, klienci walą drzwiami i oknami. A wszystko to dzięki kolejnemu innowacyjnemu odkryciu zawsze wyprzedzającego swój czas laboratorium firmy Top Medica. I nie zapomnij, piszesz jako ta dziewucha, w pierwszej osobie. I brandzlujesz się emocjonalnie. I pozorujesz szczerość. Jak to w pamiętniku.

– OK, chyba rozumiem. Mamy coś jeszcze?

– Dalej, chłopaku, mamy krzyżóweczkę. Ale to nie problem, bo zamawiamy ją na mieście. Jest taki gość, co tłucze te rzeczy hurtowo. Do wszystkich czasopism. I dla kilku agencji. Rano zamawiasz, po południu dostajesz. Tylko trzeba mu podesłać hasło główne i linki do materiałów, z których ma korzystać.

– Dobra, pomyślę nad tym hasłem – zgłosiłem się na ochotnika.

– Tylko pamiętaj, to musi być proste jak konstrukcja cepa – przestrzegł mnie Kot. – Żadnych gier słownych. Bo od razu wypieprzą ci to do śmieci. Tu chodzi o to, żeby było do rymu i po częstochowsku. Kumasz?

– Myślę, że aż za dobrze.

– No to git. Zostaje wisienka na torcie, stary. Rozkładówka promocyjna. Pisania niedużo, za to zwykle ubaw po pachy. Tym razem mamy zilustrować jesienną ofertę familijną. Kup pakiet preparatów NoseClear i dwie maseczki do włosów SebumController, a dostaniesz dwadzieścia procent rabatu na duże opakowanie BiloBestu i listek czopków PlugIn gratis. No ale dla nas roboty tu prawie nie ma. Za to Helga musi ostro pokombinować. Bo ta promocja to absolutne fiksum-dyrdum klienta. Musi krzyczeć. Jak nie krzyczy, to klient krzyczy. No i ostatni punkt każdego numeru: pionierzy farmacji. Tym razem sylwetka prezesa polskiego oddziału Top Mediki. Straszny buc. Zero dystansu do siebie. Na bank będą ze trzy tury poprawek do tekstu. I ciężka sesja zdjęciowa. Facet mógłby być sobowtórem wieprza. Trudno będzie o korzystne ujęcie.

– Kto bierze ten temat?

– To najgorsza mina. Może rzucimy monetą?

– Niech będzie. Orzeł czy reszka? – zapytałem, obracając w palcach lśniącą dwuzłotówkę.

– Orzeł – wypalił Kot.

– Reszka – zawyrokował ślepy los.

– No żeż kurwa! – zaklął pod nosem Kot. – Miałeś fart, człowieku. Ale to typowy fart początkującego. Mogłem się tego spodziewać... Za to nie ominą cię jesienne horoskopy. Tu możesz pisać wszystko, co ci przyjdzie do głowy. Jest tylko jeden warunek: każdemu znakowi zodiaku musisz zręcznie naraić jakiś preparat Top Mediki. No, to by było na tyle. Nic, tylko siadać do roboty. Ale najpierw chodźmy coś przekąsić. Dziś proponuję Chińczyka. Po ostatnim Turku miałem w brzuchu rollercoaster.

***

Pod koniec tygodnia postanowiłem odwiedzić dyrektora Jarosława w psychiatryku. Wciąż miałem jego VHS-y. No i chciałem mu podziękować. W końcu to jego glejt wyważył mi drzwi do branży. To dzięki niemu kosiłem teraz te dwa kafle miesięcznie na umowę o dzieło. To dzięki niemu mogłem zrobiony na kloszarda całe dnie bujać się z innymi przestylizowanymi kloszardami. Żyć nie umierać!

Na oddziale F1 dowiedziałem się, że kilka dni wcześniej pan Jarosław opuścił szpital na własną odpowiedzialność. Podobno twierdził, że przemówił mu do rozsądku sam Mesjasz. I że dla niego wszystko jest już teraz zupełnie jasne. Wie, co zrobi. Pójdzie do klasztoru, do alienatów*. Bo regu-

---

* Alienaci – fikcyjny zakon, wymyślony na potrzeby tej opowieści.

ła milczenia, a on już w życiu za dużo głupot nawygady-
wał. Bo spartańskie warunki, a on już dość się nagnił
w doczesnym dobrobycie. Bo ciężka fizyczna praca, a on
już się wystarczająco naopierdalał. Tak powiedział. A or-
dynator puścić go musiał. Takie prawo.

A więc VHS-y na razie zostają u mnie, pomyślałem. Może
to i lepiej? Przejrzę je sobie jeszcze przed tym ATL-owym
przetargiem.

***

Komplet tekstów do jesiennej gazetki machnęliśmy w niecałe dwa dni. Kot, zobowiązany przez Bernarda do cenzuro-
wania produkowanych przeze mnie treści, natychmiast
docenił hasło do krzyżówki „Asortyment Top Medica cho-
robom drogę zamyka".

– Ależ gówno, chłopaku! Straszna częstochowa! Czytaj:
doskonała robota! Full profeska! – dosłownie piał z zachwytu. – Świetnie czujesz konwencję, stary. Zakład, że u klienta ten potworek przejdzie bez poprawek?

– Ja tam się nie zakładam – odparłem skromnie. – W ogóle unikam hazardu. Ale mam nadzieję, że się spodoba.

– To ja, chłopaku, też ci się czymś pochwalę. Kojarzysz,
że zawsze każą dawać na okładce takie przewodnie hasło
nawiązujące do pory roku? No to mam, kurwa, perełkę.
„Idzie jesień, zdrowie niesie!" Co ty na to?

– O, stary! Mistrzostwo globu! – Ja też potrafiłem docenić,
że człowiek umiejący dobrze pisać potrafi dla dobra sprawy schować sobie tę umiejętność głęboko w dupę. – Kicz
w pełni kontrolowany. Czuję, że klepną to bez zbędnych ceregieli.

– Powinni. Ale z resztą tekstów może być różnie. Boję się zwłaszcza o te twoje. Powiedz mi, chłopaku, jak ty sobie właściwie wyobrażasz czytelnika tej gazetki? Pod kogo pisałeś?

– No wiesz, trochę pod ciebie, trochę pod Helgę, trochę pewnie pod siebie...

– Błąd, wielki błąd! Zamiast nas wyobraź sobie, hm, niech pomyślę... O, mam! Wyobraź sobie niezbyt rozgarniętego dwunastolatka. Może być nawet lekko opóźniony. Dzieciak z rodziny prostej jak tyczka Kozakiewicza. Z takiej, co to czyta ćwierć książki rocznie. Kucharskiej i na spółkę, rzecz jasna. – Kot, naprawdę niezły nauczyciel, potrafił obrazowo wyjaśnić każde zagadnienie. – Tak mniej więcej podchodzi do swoich odbiorców Top Medica. Tak musimy podejść i my. A ty tu piszesz „substytut"? Ja bym dał po prostu „zamiennik"! Albo „eksterminuje zarazki"? Zabija, stary, zabija! No i składnia, chłopaku... Ja tam lubię zdania złożone. Niechby nawet wielokrotnie. Ale klient powie ci, że są do poprawki. Że zbyt upmarketowe*. Że chce krótsze, pojedyncze. Żeby zrozumiał je nawet ktoś po lobotomii. Tak to działa, niestety.

– Czyli co? Mam to napisać od nowa?

– Daj spokój, chłopaku. Ty już swoje zrobiłeś. Teraz niech klient trochę popracuje. Zresztą oni kochają wprowadzać zmiany. Nie zabierajmy im tego. – Kot mrugnął porozumiewawczo. – Odeślą nam swoją wersję, to po prostu trochę ją uładzimy. Wiesz, żeby było w miarę po polsku.

---

* Upmarketowe – skierowane do wąskiej grupy najbardziej wyrobionych i wymagających konsumentów.

– Więc ślemy to do nich?

– O nie, chłopaku. Najpierw do Helgi. Bernard woli akceptować treści już w layoucie. Ma taką teorię, że klient je oczami. I że sąsiedztwo ładnych fotek i efektownych wykresów zwiększa szansę tekstów na przetrwanie. Robimy, jak prezes każe. W końcu to jego cyrk, a my jego małpy.

– À propos, chcesz banana? Zgłodniałem.

***

„Drogi Raku Seniorze, koniunkcja Saturna i postępującej miażdżycy może spowodować, że w nadchodzącym miesiącu Twoja pamięć wykona kolejny krok wstecz. Jeżeli zatem zdarzy Ci się dłużej zawahać przed wyborem przycisku w windzie, zgubić wątek w *Modzie na sukces* lub trafić kluczem do nie swojej dziurki, zapytaj w Aptece o BiloBest. Dzięki temu innowacyjnemu preparatowi na bazie miłorzębu japońskiego już po siedmiu dniach zaczniesz odzyskiwać kontrolę nad swoim życiem, co pozwoli Ci uniknąć dalszych towarzysko-sąsiedzkich upokorzeń. Idąc do Apteki, nie zapomnij zapisać sobie nazwy leku na karteczce. Przecież nie wszyscy Farmaceuci to uzdolnione telepatycznie i z natury intuicyjne Ryby".

***

Podniosłem słuchawkę i wybrałem wewnętrzny do grafików.

– Czego?! – Maniera Helgi była niepodrabialna.

– Cześć, mówi Artur. Jakiś czas temu wysłaliśmy ci teksty do gazetki.

41

– A, to ty – odetchnęła z ulgą. – Już myślałam, że Bernard znowu chce nam dorzucić roboty. Jemu się chyba wydaje, że czas jest, kurwa, z gumy.

– No a jak te teksty? – ostrożnie przekierowałem rozmowę na właściwe tory.

– A nawet mi pasują.

– Podobały ci się?

– Ocipiałeś, młody?! Myślisz, że ja mam czas to wszystko czytać?! Ale do layoutu zmieściły mi się idealnie. Niekulawo to z Kotem rozplanowaliście. Tak trzymać!

– Dzięki... – Chciałem pokazać, że doceniam komplement, ale w słuchawce obecny był już tylko przerywany sygnał.

Tego samego dnia projekt gazetki Top Mediki z moimi debiutanckimi tekstami pomknął do klienta. Na feedback nie trzeba było długo czekać. Klepnęli tylko częstochowskie hasło na okładkę, krzyżówkę, czopkowe studium Kota i moje horoskopy, ale nie wszystkie, bo przy Baranie i Rybach zastosowałem niewystarczająco dynamiczne call to action* (czytaj: nie dość nachalnie stręczyłem preparaty klienta). Reszty, delikatnie rzecz ujmując, nie docenili. Moja kartka z pamiętnika bizneswoman? Ogólnie tekst zbyt upmarketowy (a Kot jasnowidzący) – musimy uprościć słownictwo. Zbyt duży fokus na bohaterce (ciekawy zarzut w przypadku pamiętnika). Nazwa preparatu SebumController pada tylko dwukrotnie. Trzeba wpleść ją w tekst jeszcze co najmniej trzy razy, tak żeby zaatakować

---

* Call to action – wezwanie do działania, komunikat reklamowy sformułowany w trybie rozkazującym, nawołujący wprost do zakupu produktu lub usługi.

odbiorcę podprogowo. Sylwetka pioniera farmacji? Za
mało przymiotników pozytywnie wartościujących postać
prezesa (na czterech stronach siedemnaście). Ogólnie
brak klarownej informacji, że obcujemy z człowiekiem
wybitnym. A czemuż by nie napisać, że gdyby przyzna-
wano Noble w dziedzinie marketingu, to prezes byłby
rokrocznie murowanym kandydatem? Sesja zdjęciowa
do powtórki – prezes nie jest zadowolony z podbródka
i ma sporo wątpliwości co do wysokości czoła. Mój fikcyjny wywiad z farmaceutką grzybiarką? Za dużo o rodzin-
nych emocjach, za mało o innowacyjnej recepturze leku.
Odwrócić proporcje. I skrócić zdania, tak żeby czytelnik
się nie pogubił (w końcu na grzybach o to nietrudno).
Graficzna ilustracja jesiennej promocji? Miała krzyczeć!
A ledwie szepcze.

– No, chłopaku, to pierwsze koty za płoty. – Kot
uśmiechnął się po lekturze sążnistego maila z Top Mediki. – Machnij swoją działkę jeszcze raz. Ale już się tak nie
napinaj. Przez cały czas miej w głowie tego niedorozwoja.
Wiesz, tego, dla którego piszesz. Wyobrażaj sobie, jak się
ślini, beka i dłubie w nosie. Zobaczysz, to pomaga.

Wpisałem w okienko wyszukiwarki wyraz „przygłup",
ustawiłem filtr na grafikę i wybrałem podobiznę osobni-
ka balansującego na granicy definicji gatunku homo
sapiens. Ściągnąłem zdjęcie na pulpit i maksymalnie po-
większyłem. Zabrałem się do roboty, starając się jak
najczęściej łapać rozbiegany wzrok mojego spersonalizo-
wanego targetu.

***

Metoda na przygłupa podziałała. Większych uwag do drugiej wersji moich tekstów nie było. Jedyna zmiana dotyczyła wywiadu z farmaceutką. Ekspresowe badania przeprowadzone przez Top Medikę wykazały, że grzyby są już niestety passé. Kazano mi więc wysłać tę nieszczęsną rodzinę na leśne fotosafari. Specjalnie mnie to nie zabolało. Las to las. Wilgoć to wilgoć. A jesień to jesień. W takich warunkach nietrudno złapać katar. Nieważne, co się robi. Czyli historia z cudownie uzdrawiającym preparatem NoseClear nadal trzymała się kupy.

Kot też poradził sobie z pionierem farmacji. Liczbę przymiotników gloryfikujących prezesa zwiększył do bezpiecznych trzydziestu dwóch, a zdanie o Noblu z marketingu przekleił żywcem z maila od klienta. Problem zdjęć rozwiązał przewrotnym sposobem: sfotografował pioniera od tyłu. Facet stał na dachu najwyższego wieżowca w Warszawie i z tej perspektywy spokojnie obserwował pospieszną krzątaninę maleńkich mróweczek hen na dole. Metafora grubą nicią szyta. Ale przeszła bez pierdnięcia. Podbródek i czoło mieliśmy z głowy.

Ponieważ Heldze udało się odpowiednio donośnie wykrzyczeć jesienną promocję, dostaliśmy akcept. Gazetka trafiła na górę, do chłopaków z DTP. Potem była makieta, cromaliny, egzemplarz sygnalny. Aż wreszcie do agencji zajechał gotowy nakład w kartonach umieszczonych na drewnianych paletach. Cała załoga rzuciła się do oglądania. Każdy weryfikował swoją działkę. Mariusz sprawdzał, czy gramatura papieru odpowiednia, czy równe szycie i czy lakier się nie łuszczy. Helga, czy kolory takie jak na cromalinach. Zbig i Greg, czy Heldze wzrok nie szwankuje. A my z Kotem, czy nie puściliśmy jakiejś literówki, bo Bernard zapowiedział, że za każdego babola potrąci nam po stówie z pensji. Na szczęście wszystko było git.

Kilka godzin później w mojej skrzynce mailowej pojawiły się materiały do kolejnej edycji gazetki. Miałem ich zrobić jeszcze kilkanaście. Żeby nie zwariować, zmieniałem tylko przygłupa na pulpicie.

RUNDA DRUGA

Tego ranka Kot miał na sobie chyba jeszcze więcej gadżetów niż zwykle. Więcej rzemiennych opasek na rękach. Więcej koralików na szyi. I ogólnie było go jakby więcej, kiedy tak stał na środku pokoju, zachłannie wczytując się w obustronnie zadrukowaną kartkę A4. Ta kartka wyraźnie go pompowała.

Zaanonsowałem się chrząknięciem. Odwrócił się i spojrzał mi prosto w oczy. Przynajmniej takie odniosłem wrażenie. Bo pewności, co się dzieje za jego ciemnymi okularami, nie miałem nigdy.

– Chłopaku! – Oczy potrafił przede mną ukryć, ekscytacji już nie. – Nareszcie gramy grubo! Jest brief, jest zabawa! Robimy przetarg! Duży ATL. Prasa, outdoor*. No i telewizja. Zero promocji, stary, zero sprzedażówki! Czysty wizerunek!

– A co to za klient, jeśli mogę spytać?

– Sam zobacz. – Podał mi kartkę. – Tampony Bella Donna.

---

* Outdoor – reklama zewnętrzna, uliczna (na przykład billboard).

Tampony?! Kurwa, Bóg istnieje! Akurat ten temat już prze-
wałkowałem. Jaro podał mi go jak na tacy. Miałem dwa
całkiem niegłupie gotowce – dziurawą łódkę i rekiny. Wystarczyło podmienić markę i mogłem się prezentować.

Zanim zdążyłem się tym pochwalić, zadzwonił telefon.
Bernard wzywał całą kreację do sali konferencyjnej.

– Moi drodzy – przemówił, kiedy wszyscy usiedliśmy –
jak już zapewne wiecie, stajemy do przetargu na kampanię
wizerunkową tamponów marki Bella Donna. Taki budżet
dałby naszej agencji oddech na ładnych parę miesięcy.
Zyskalibyśmy też co nieco PR-owo. Dobra, zauważalna
kampania to murowane artykuły w wiodących pismach
branżowych. Jeżeli mamy nadal dynamicznie się rozwijać,
potrzebujemy tych pieniędzy i tego rozgłosu. Dlatego proszę was, żebyście cały swój kreatywny potencjał skierowa-
li na tampony. Pamiętajcie, że przetargi wizerunkowe
wygrywa się właśnie dzięki kreatywności. No, czasem także dzięki łapówkom. Ale nas na łapówki na razie nie stać,
więc pozostaje kreatywność. Dlatego wszystko w waszych
rękach. Liczę na was, kochani. Czasu jest niewiele, a konkurencja nie śpi, ale wierzę, że jesteśmy w stanie to wygrać.

– Piękna mowa, prezesie man. A tak konkretnie, to ile mamy tego czasu? – spytał rzeczowo Marley.

– Jest poniedziałek. Prezentację mamy w przyszły piątek.

– Dobrze, kurwa, że nie w ten! – zirytowała się Helga. – To
może nas łaskawie oświecisz, jak ty to sobie w ogóle wyobrażasz? Tak, wiesz, dzień po dniu. I noc po nocy, bo coś
czuję, że za dużo to my nie pośpimy.

– Już mówiłem, jestem świadomy, że czasu jest mało. Ale
nie jest to wcale mission impossible. – Bernard emanował

spokojem. – Od dziś do środy włącznie myślą copywriterzy. W czwartek rano spotykamy się tu ponownie. Kot, Artur, chcę mieć od was przynajmniej trzy mocne koncepcje. I to już z hasłami. Jedną linię zrealizuje Helga, drugą Mieszko, a trzecią damy Alfowi, któremu zaraz zasygnalizuję temat. Pomyślcie też o scenariuszach spotów. Żeby od razu wrzucić je Marleyowi do narysowania. I oczywiście Mariuszowi do wyceny. Produkcja musi zmieścić się w budżecie. Projektowanie prasy i outdooru graficy kończą w przyszłą środę wieczorem. No, maksimum w czwartek rano. Do tego czasu Marley machnie już pewnie wszystkie storyboardy, mam rację?

– Spoko, prezesie man – uśmiechnął się ambasador Jamajki. – Twoje obrazki będą gotowe.

– Czyli wszystko ładnie nam się zazębia – ucieszył się Bernard. – W czwartek Zbig i Greg przygotują nam całą prezentację na piankach. No i w piątek rano się sprzedajemy. Ruszamy z agencji punkt dziewiąta. Ja, Mariusz, Marta i Kot. Krzysiek, tym razem ubierz się, proszę, jakoś stosownie...

– Nie ma problemu, prezesie. Dla ciebie wbiję się nawet w garniak – zapewnił go Kot. – Tylko najpierw będę musiał w niego zainwestować. I tak sobie kalkuluję, jaka może być stopa zwrotu z tej inwestycji. Konkretnie chodzi mi o premie za przetarg. Rozumiem, że jak wygramy, to jakieś będą?

– A czy kiedyś nie było? Copywriterowi, który stworzy zwycięską koncepcję, do najbliższej pensji dorzucę tysiąc złotych. Z góry uprzedzam kolejne pytanie – netto, nie brutto. Taki sam bonus czeka też na grafika, który zilustruje ten pomysł. Oczywiście Marley, jako nasz jedyny storyboardzista, zgarnie premię niezależnie od tego, która z naszych linii wygra.

– Cholerny farciarz – mruknęła pod nosem Helga.

– Taka karma, dziewczyno man – uśmiechnął się Marley.

– Wygląda na to, że wszystko jest już dla wszystkich jasne – podsumował spotkanie Bernard. – No to do roboty, kochani!

***

– Słuchaj, chłopaku, a może by tak zagrać do jednej bramki? – zaproponował Kot, kiedy wróciliśmy do naszej klitki.

– Czyli jak?

– Czyli zamiast ścigać się na koncepcje, wymyślamy je razem. Hasła i teksty też. Wygrywamy i dzielimy się kasą po połowie. Co ty na to, stary?

– Szukam haczyka – odpowiedziałem po chwili namysłu.

– Jestem tu dopiero miesiąc. To mój pierwszy przetarg. Ty siedzisz w tym biznesie prawie cztery lata. Zaliczyłeś już od pyty takich konkursów. Kilka nawet wygrałeś. I to ty chcesz się dzielić ze mną?! Gdzie tu logika?

– Cóż, chłopaku, powiedzmy, że to taka moja mała inwestycja.

– Inwestycja?

– W przyszłość. Coś mi mówi, że zostaniesz tu na dłużej. Czyli ładnych parę przetargów jeszcze razem zrobimy. Chyba zdrowiej będzie ciągnąć ten wózek wspólnie, niż napierdalać się między sobą przy każdym briefie? No tak czy nie?

– No niby tak – zgodziłem się.

– I jeszcze jedno, stary. Wieść gminna niesie, że zainstalował cię tu sam Jaro. Ten Jaro. Żywa legenda. Ikona branży. Bóg pokolenia. Same kultowe kampanie. Więc tak sobie myślę, że skoro wypatrzył cię taki gość, to musi być z ciebie nie najgorszy materiał na kreatywnego. Ot i moja inwestycja.

– Twoja wiara w moją skromną osobę bardzo mi pochlebia, naprawdę. Ale jeszcze bardziej ciekawi mnie, skąd ty, kurwa, wiesz o tej historii z Jarem. Bernard obiecywał, że nie wygada się przy nikim z kreacji.

– I słowa dotrzymał. Rozmawiał o tobie tylko z Mariuszem. Często się go radzi w różnych sprawach. W końcu znają się od zawsze. Jeszcze z Legendarnej. Prehistoria. Obaj napinali się tam, żeby zostać kreatywnym. I to właśnie Jaro ich poprzestawiał. Z jednego zrobił ekanta, z drugiego producenta. Z korzyścią dla wszystkich, jak sądzę.

– Do brzegu, stary – ponagliłem go. – Mów, skąd ty masz tego newsa? Bo jeśli nie od Bernarda, to tym bardziej nie od Mariusza. Przecież wy ze sobą prawie nie gadacie.

– No dobra, chłopaku – zdecydował po krótkiej wewnętrznej walce – coś ci pokażę. Tylko nikomu ani mru--mru.

Otworzył drzwi naszego pokoju i rozejrzał się po piętrze.

– Droga wolna, idziemy – pociągnął mnie za sobą.

Schody na parter pokonaliśmy bezszelestnie. Kot znów zlustrował korytarz. Nikogo. Zanim zdążyłem zareagować, zostałem wepchnięty do malutkiej toalety między pokoikiem cycatej Marty a gabinetem prezesa. Kot wślizgnął się za mną, nie włączając światła.

– No co ty, stary... – Przyznam, że delikatnie się zmieszałem.

– Ciii. – Widoczność była zerowa, ale mógłbym przysiąc, że położył palec na ustach. – Nie gadaj, słuchaj.

Posłuchałem. I już po chwili usłyszałem. Głos Bernarda. Wyraźny, jakby między nami nie było żadnej ściany.

–... szóstki nie dam rady, Alf, naprawdę. Przy tym budżecie z bólem mogę zaproponować ci piątkę. Za wygrany przetarg. Startowe też będzie, oczywiście. Pięć stów ci pasuje? No jasne, że wszystko netto. Tak, zasady takie jak zwykle. Tylko tym razem projekty muszę mieć w terminie. Tak, na przyszłą środę. Tak, prasa i outdoor. Tak, może być wieczorem. Nie, nie dam rady niczego poprzesuwać. Nie, nie ściemniam. No to widzimy się u nas na spotkaniu. Czwartek, dziesiąta. Tak, ten czwartek. Zapisz to sobie, dobrze? Zapisałeś? No to do zobaczenia. Cześć.

Słysząc dźwięk odkładanej słuchawki, Kot zarządził natychmiastowy odwrót na górę.

– Zaraz będzie szedł na lunch. Może chcieć się wysikać – wyjaśnił w biegu. – I jak, chłopaku, fajny patent, co? Można się dowiedzieć więcej niż z Google'a.

– Ale jaja! – Naprawdę byłem pod wrażeniem. – I co, chcesz mi powiedzieć, że on się jeszcze nie zorientował, że ta ściana jest z papieru?

– A niby jak?! Bernard trzyma w gabinecie wszystkie firmowe kwity i sekrety. Jak wychodzi, zawsze zamyka na klucz. Nigdy nikogo tam nie zostawia. Czyli kiedy on sam siedzi na kibelku, to nikt mu nie gada za ścianą.

– A w drugą stronę też wszystko słychać? To znaczy z gabinetu?

– O dziwo, nie. Sprawdziłem to bardzo dokładnie. Wszystkie odgłosy z toalety zagłusza wentylator. Włącza się go tym samym przyciskiem co światło. Więc jak chcesz mieć intymność, to po prostu naciskasz ten przycisk. A jak chcesz mieć wiedzę, to siedzisz sobie po ciemku.

52

– Chapeau bas, stary. Jesteś wielki! Od kiedy się tak bawisz?

– Od początku właściwie. Jak przyszedłem tu na interview, to przepytywali mnie właśnie w tym gabinecie. Bernard i Mariusz, producent. Poszło bardzo dobrze. Podobało im się portfolio. Powiedzieli, że ogólnie są na tak. Tylko nie są pewni, czy mogą mi dać tyle kasy, ile zaśpiewałem. I muszą się naradzić, więc żebym poczekał w konferencyjnej. No i czekam tam, stary, cały w nerwach. Dadzą czy nie dadzą? I z tego stresu trochę rozstroiło mi żołądek. No to pędzę do kibelka. Siadam, a tu bach, gaśnie światło. Awaria prądu. Więc robię swoje po ciemku, aż tu nagle słyszę, bardzo wyraźnie, jak oni tam sobie wzajemnie gratulują. Że takiego kozaka z rynku wyłuskali. Że z doświadczeniem. Że z dorobkiem. Że z ambicjami. I w sumie za psie pieniądze. Ale że warto jeszcze się potargować. No to ja podciągam portki i walę do nich na pewniaka. Że już coś długo trwa ta narada. Że ja się trochę spieszę, bo kolejne interview. I że nie zejdę im nawet o złotówkę. No to oni, żebym już nigdzie nie chodził. I z niczego nie schodził. Że jesteśmy dogadani. I zapraszają mnie na obiad.

– À propos, stary. Chińczyk czy Turek? Bo mi już kiszki marsza grają.

– Nie ma bata, chłopaku. Do przetargu prezes nie wypuści nas z agencji. Zaraz będzie, że teraz to mamy myśleć koncepcyjnie, a nie włóczyć się po knajpach. Bo nie za to nam płaci. Przy przetargach niestety lekko mu odpierdala. Zaczyna pilnować dupogodzin. I za chuja nie wytłumaczysz mu, że na najlepsze pomysły zawsze wpadasz na kupie albo pod prysznicem. Już to przerabiałem, stary. Lepiej zamówmy pizzę. Jakoś się przemęczymy. To tylko parę dni.

– OK, to ja już dzwonię. Mam tu na biurku ulotkę z Italian Inferno. Co dla ciebie?

– Jak z Inferno, to duża Diabelska. Z papryczkami jalapeño. Na cienkim cieście. Polecam.

– Dwa razy duża Diabelska na cienkim cieście – wyrecytowałem do słuchawki. – Pewnie, że z papryczkami. Czy chcemy lemoniadę? Jasne, że chcemy. Przy dwóch pizzach lemoniada gratis? Tym bardziej! Za pół godzinki? Doskonale, czekamy. Wiesz, stary – to już do Kota – doceniam ten gest z toaletą, naprawdę. Dzięki za zaufanie.

– Do usług, chłopaku. Tylko pamiętaj, nikomu ani słowa. Ten kamień filozoficzny daję tylko tobie. Zamień go w czyste złoto. – Uśmiechnął się. – Podzielimy się potem po połowie.

***

Na czwartkowe spotkanie w konferencyjnej przygotowaliśmy cztery tamponowe koncepcje. Moją dziurawą łódkę, w którą Kot bardzo wierzył. Moje rekiny, w które co prawda nie wierzył, ale doceniał kreatywną przekrętkę. On sam wymyślił z kolei historyjkę o astronautce lecącej na Marsa. Laska ma nawiązać kontakt z obcą cywilizacją. Poznać paru sympatycznych ufoli. A że używa niezawodnych tamponów marki Bella Donna, to jest gotowa na każde spotkanie. Nawet w te trudne dni i w tych niełatwych okolicznościach czuje się po prostu komfortowo. I tak lekko, że pokazanie jej unoszącej się w stanie nieważkości we wnętrzu statku będzie jak najbardziej na miejscu. Czwarta linia, też stworzona przez Kota, opowiadała o perypetiach mniej więcej dwunastoletniej chórzystki. Próba. W kościele. Pod batutą surowej zakonnicy (postać księdza, jako zwiastująca możliwość złego dotyku, odpadła w przedbiegach). Same dziewczęce soprany. Same niewinne buźki. Nagle jedna z młódek milknie i wybiega. W domyśle: do toalety. Kiedy wraca, zakonnica gromi ją wzrokiem. Że co to, kurwa, za porządki tak latać wte i wewte po całym Domu Bożym. Ale młoda odpowiada jej znaczącym uśmiechem i równie znaczącym spojrzeniem. I już wszystko jasne. Nadszedł dla niej ten wiekopomny dzień. Stała się kobietą. Zakonnica to rozumie (w końcu też jest płci żeńskiej i też tak kiedyś miała), więc jej marsowe oblicze się rozpogadza. Odwzajemnia uśmiech. Rozpromieniona chórzystka przyłącza się do anielskiego śpiewu koleżanek. Na jej twarzy maluje się błogi spokój. Bo chociaż została pokalana przez biologię, w duchu pozostała przecież czysta i niewinna. Wy, użytkowniczki maksymalnie udoskonalonych tamponów marki Bella Donna z innowacyjną formułą chłonną, też możecie takie pozostać. Menstruacyjna krew nie splami was ani dosłownie, ani w przenośni.

Na życzenie Bernarda wszystkie pomysły prezentowałem ja. Prezes najwidoczniej zapragnął sprawdzić, jak sobie radzę z budowaniem klarownej argumentacji. Nie chciałem go zawieść, więc opowiadałem prawie godzinę, skrupulatnie pochylając się nad najdrobniejszymi detalami każdej koncepcji. Wyszło mi to chyba nie najgorzej, bo Bernard z uznaniem pokiwał głową.

– Dziękuję za prezentację, Arturze. Zgrabnie nam to wszystko wyłuszczyłeś.

– Dziękuję. – Uśmiechnąłem się. Nie powiem, trochę połechtał moją próżność.

– Z samej pracy koncepcyjnej też jestem zadowolony. Cztery mocne linie. Dobra robota, panowie copywriterzy!

– Zawsze do usług, prezesie – odparł rezolutnie Kot. – Staraliśmy się unikać szycia grubą nitką. Czyli banałów w stylu menstruacyjnego wypadu na siłkę albo na wodny aerobik. Takie klimaty zostawiamy konkurencji.

– I bardzo dobrze. Bo my, jako mała agencja, musimy w przetargach stawiać na dużą kreatywność. Zawsze wam powtarzam, że na łapówki nas nie stać. No dobrze, to teraz wybierzmy trzy najlepsze pomysły do dalszej realizacji. Na wszystkie cztery brakuje nam niestety mocy przerobowych. Jak tam, państwo graficy, czy każde z was ma już swojego faworyta?

– Jedno pytanie do copywriterów – wpadła mu w słowo Helga. – Która koncepcja jest czyja?

– Sam jestem ciekawy. Ale cierpliwości. Wszystko w swoim czasie. Najpierw zdecydujcie, nad czym chcecie pracować. Zależy mi, żebyście wybrali koncepcję, a nie autora.

Tu z Bernarda wyszedł łebski szef. Przy grze w otwarte karty nie miałbym pewnie z Kotem szans. Postawiliby na starego wyjadacza.

– To ja biorę te rekiny! Lubię takie wyrąbane rzeczy! – wyrwał się Mieszko, który rzeczywiście takie rzeczy uwielbiał. I niestety tylko takie. – Pojedziemy po bandzie! Zero kompromisu! Tamponowe *Szczęki*! Zobaczycie, zdominujemy każdy blok reklamowy!

– A ja waham się między kosmosem a chórem – westchnęła Helga. – No dobra, raz kozie śmierć. Biorę kosmos. Boję się tylko, czy znajdę do tego dobre zdjęcia.

– A ty, Alf? – Bernard zwrócił się do pogrążonego w myślach czterdziestolatka z tygodniowym zarostem i grzywką na poppersa. – Mam nadzieję, że twój faworyt jest jeszcze w puli.

– Jak najbardziej – odparł spokojnie Alf. – Mój wybór to dziurawa łódka. Uważam, że jest w tym jakaś prawda życia. To się może przydarzyć każdej kobiecie. Bogatej, biednej, ładnej, brzydkiej. Ze wsi i z miasta. Czyli trafiamy w najszerszy z możliwych targetów. A to się zawsze sprawdza. Poza tym historia jest bardzo kameralna. Osobista, jak sam produkt. Przygoda chórzystki to też niby prawda życia. Ale kontekst zbyt kontrowersyjny. Kościół w polskiej reklamie?! Moim zdaniem nikt w to nie zainwestuje.

– A pozostałe linie? – dopytywał Bernard. Widać było, że naprawdę liczy się ze zdaniem Alfa. – Co o nich sądzisz?

– No cóż, rekin to też kusząca koncepcja. Przewrotna, z jajem. Łatwo zapamiętywalna. Naprawdę świeże spojrzenie na produkt. Gdybyśmy byli w Stanach, to może wziąłbym ten temat na tapetę. Ale u nas? Egzotyczna plaża? Oswojone z ludźmi rekiny? Ludzie oswojeni z rekinami? Strasznie dużo zachodu. I niemałe koszta. Oczywiście nie znam budżetu klienta...

– No a kosmos?

– Udana metafora. Podoba mi się też nieważkość jako symbol lekkości samopoczucia. Szanse na przychylność klienta na pewno są. Ale nie tak duże jak w przypadku łódki. Wierzę, że to właśnie nią dopłyniemy zwycięsko do mety. A tak w ogóle to czyja to koncepcja? Bo teraz już chyba można spytać, prawda?

– Moja – oznajmiłem dumnie. – Podobnie jak rekiny.

– A ja popełniłem chór i astronautkę – doprecyzował Kot.

– Czyli do realizacji wchodzą dwie koncepcje Artura i jedna Krzyśka Kota – uporządkował sprawy Bernard. – Muszę przyznać, że to zaskakujące.

– Szczęście początkującego – odparłem z fałszywą skromnością. – Zresztą Krzysiek nade mną czuwał, inspirował mnie...

– Przestań się krygować, młody, bo, słowo daję, zaraz się porzygam. Odwaliłeś kawał dobrej roboty, więc twoja powściągliwość jest tu zupełnie nie na miejscu. – W ustach Helgi nawet pochwała brzmiała jak opierdol, ta dziewczyna już tak miała. – Jeszcze parę tygodni temu grosza bym za ciebie nie dała. A tu, popatrz, taka akcja. Może jednak będą z ciebie ludzie.

– Artur, można na słówko? – spytał Alf, delikatnie odciągając mnie na bok. – Naprawdę uważam, że pomysł z łódką ma potencjał, żeby pozamiatać w tym przetargu. Tylko powinieneś jeszcze pomyśleć nad hasłem. Nie zrozum mnie źle, to obecne jest w porządku. Ale warto nad tym jeszcze przysiąść.

– Skoro tak uważasz, to przysiądę – obiecałem. – Też chciałbym to wygrać.

***

Następnego dnia wysłałem Alfowi kilkanaście nowych propozycji hasła do łódki. Odmejlował, że jedna z nich trafia w sedno. Zupełnie nie ta, która była moją faworytką. Dla pewności postanowiłem przetestować ten sam zestaw haseł na Kocie. Rzucił okiem i bez wahania wybrał dokładnie tak jak Alf.

„Tampony Bella Donna. Wszystko ujdzie ci na sucho".

***

Rekiny, które projektował Mieszko, były gotowe już w środę rano. Outdoor i prasa. Prace nad linią kosmiczną Helga zakończyła tego samego dnia po południu. Marley też już finiszował ze storyboardami do wszystkich trzech linii. Tymczasem od Alfa nie dostaliśmy jeszcze złamanego obrazka. W czwartek rano zapewnił mnie przez telefon, że wszystkie projekty ma już dopracowane. Tyle że w głowie. Ale żebym się nie martwił, bo już siada do komputera, więc rach-ciach i będzie po robocie. Mniej więcej to samo usłyszałem w południe. A także pod koniec dnia. Ja, kurwa, chyba jestem przeklęty, pomyślałem Taka koncepcja, taka szansa i taki chuj z tego będzie. Chuj z premii. Chuj z mołojeckiej sławy. Przecież gołymi storyboardami się nie obronię. Wszystko pójdzie się jebać. Cała moja wielka kariera. Cała moja świetlana przyszłość. Moje fury i lofty. I to dlaczego, kurwa?! Bo jeden odrealniony pojeb stracił poczucie czasoprzestrzeni. Nie, to musi być jakiś pieprzony zły sen!

Jednak tej nocy nawet zły sen mi nie groził. Postanowiłem zostać w agencji. Może podeśle coś w środku nocy? Podobno kiedyś wyciął już taki numer. Więc siedziałem przy kompie, paliłem peta za petem i obsesyjnie sprawdzałem skrzynkę mailową. Kolorowa drukarka Epson czuwała razem ze mną. Podobnie jak czarne prezentacyjne pianki i klej 3M w sprayu. Jak tylko dostanę projekty, to szybciutko je podrukuję i ponaklejam na pianki. Jeszcze nie wszystko stracone. Dopiero druga w nocy. Nadzieja umiera ostatnia. Trzecia. Boże, pomóż, to w ciebie uwierzę! Czwarta. Kurwa, kurwa, kurwa! Piąta. SMS: „Gotowe. Wyszło znakomicie. Projekty na piankach czekają u mnie w domu.

Przekaż Bernardowi, że może po nie wpaść w drodze na prezentację. Pozdrawiam, Alf".

***

W piątek rano, kiedy grupa prezentacyjna wyruszała sprzedawać się u tamponiarzy, ja chrapałem skulony na malutkiej sofce w sali konferencyjnej. Helgę chyba rozczulił mój nocny dyżur, bo przykryła mnie ciepłym kocem. Piękna rysa na jej wrednym charakterze.

Obudziło mnie zamieszanie w hallu. Ktoś krzyczał. Ktoś klaskał. Ktoś się śmiał. Ktoś śpiewał. Dałbym głowę, że ktoś nawet tańczył. Co jest, kurwa, cyrk zajechał? Odpowiedź nadeszła natychmiast, w osobie rozradowanego Kota. W granatowym garniturze typu tenis. Co prawda odważnie przełamanym jaskrawożółtymi trampkami, ale jednak w garniturze! Ki czort?!

– Co się tak patrzysz, chłopaku? – zapytał wyraźnie rozbawiony. – Człowieka sukcesu nie widziałeś? Pan prezes kazali, to się ubrałem jak prawdziwy dorosły. I powiem ci, warto było. A ty lepiej wstawaj! Bo wszyscy już tu idą. Są nowiny!

W tym momencie do konferencyjnej wkroczył uśmiechnięty Bernard. W przeeleganckim szarym garniturze. Dolary przeciw orzechom, że szytym na miarę. Tuż za nim wparował producent Mariusz. Też w garniturze. Też szytym na miarę. Z tym że niestety nie na jego miarę. Wyglądał jak zwykle kuriozalnie. Ale jak zwykle nie miał o tym pojęcia. Błogosławieni nieświadomi. Za tą dwójką wlali się tak zwani wszyscy: Helga, Mieszko, Marley, cycata Marta, nawet Zbig i Greg, którzy przecież od siebie z góry blisko nie mieli. Bernard stanął tuż przede mną i wyciągnął zza pleców pokaźnych rozmiarów butelkę szampana. Szybki rzut oka na etykietę. Francuski.

– Kto wygrał przetarg?! – zaintonował znienacka na stadionową nutę.

– Artur!!! – zaryczała reszta załogi.

– Kto?! – ponowił pytanie Bernard, energicznie potrząsając butelką.

– Artur!!!

– Kto?! – nie dawał za wygraną prezes.

Trzymana przez niego butelka poruszała się coraz szybciej. W górę i w dół.

– Artur, Artur, Artur!!! – wszyscy darli się już na maksa.

Korek wystrzelił, a mnie zalała fontanna spienionego szampana. Cycata Marta podstawiła Bernardowi tacę z kieliszkami. A ten lał od serca. Z czubkiem.

– Moi drodzy – przemówił, kiedy wszyscy chwycili już za kieliszki. – Dziś jest wielki dzień naszej małej agencji. Mam przyjemność zakomunikować, że właśnie zdobyliśmy budżet marki Bella Donna. Klient wybrał nas z grona sześciu firm, które stanęły do przetargu. Decyzja zapadła zaskakująco szybko. Wszystkie nasze koncepcje bardzo się podobały. Wyczuliśmy to zresztą już w trakcie prezentacji. Nie bez znaczenia był też fakt, że jako jedyni przedstawiliśmy kosztorys mieszczący się w ramach zasugerowanych w briefie. No, wypijmy za ten sukces, kochani!

– Za sukces! – Kieliszki poszły w górę.

– I jeszcze jeden toast – zasugerował Bernard. – Za autora zwycięskiej koncepcji. Twoje zdrowie, Arturze!

– Serdeczne dzięki, prezesie. – Uniosłem kieliszek. – A tak z ciekawości, która to ta zwycięska koncepcja? Bo chyba tylko ja jeszcze nie wiem...

– Łódka. „Wszystko ujdzie ci na sucho". Odbierz maila, to sobie zobaczysz, jakie projekty machnął do tego Alf. Re-we--la-cja!

***

Jakiś tydzień później Bernard zaprosił mnie na rozmowę. Kazał wpaść do siebie po siedemnastej. Przed wyznaczoną godziną zainstalowałem się w kibelku na dole, żeby posłuchać, jak naradza się na mój temat z producentem Mariuszem. Mam potencjał. Wygrałem przetarg. A i z codzienną dłubaniną radzę sobie całkiem nieźle. Ergo przekładam się na zyski. Zostaję na czas nieokreślony. Nadal umowa o dzieło albo działalność gospodarcza. Podwyżka do dwóch i pół netto, jeżeli się upomnę. Bo oni nie będą się wyrywać.

Spokojnie wkroczyłem do gabinetu Bernarda. Wysłuchałem znanej mi już propozycji przedłużenia współpracy i natychmiast wyraziłem palącą potrzebę nieco wyższych zarobków. Bez wahania przystałem na sumę zasłyszaną przez ścianę. Podaliśmy sobie ręce. Na odchodnym prezes wcisnął mi jeszcze kopertę za łódkę. Okrągły tysiąc w nowiutkich stuzłotowych banknotach. Gdzieś tam w środku zabolało mnie, że Alf dostaje za ten przetarg pięć razy więcej. Ale nie był to ból nie do zniesienia.

Kiedy wychodziłem z agencji, przy furtce czekali już na mnie Kot z Marleyem.

– No i jak poszło, chłopaku? – zagaił ten pierwszy. – Zostajesz z nami na dłużej?

Kiwnąłem głową.

– No, to trzeba to jakoś uczcić, człowieku man – zadecydował ten drugi. – Zabieramy cię na małą przejażdżkę. Znam zarąbistą miejscówkę. Taką w sam raz dla chłopaków wysokich lotów.

Czerwony garbus Marleya ruszył przez zakorkowane miasto. Po drodze wręczyłem Kotu połówkę premii za tampony. Przybiliśmy piątki i zapaliliśmy papierosy. Coś czuję, że to początek pięknej przyjaźni, pojechałem w myślach Humphreyem Bogartem.

Trochę to potrwało, zanim dotarliśmy na miejsce. Czerwony garbus zaparkował przy samym ogrodzeniu lotniska Okęcie, od strony pasów startowych. Marley wyjął z bagażnika sześciopak piwa, ogromny koc plażowy i wcale nie mniejszą sziszę. Usiedliśmy, otworzyliśmy sobie po browarku, a on nabił tego swojego wodnego potwora bardzo hojnie jakimś amsterdamskim wynalazkiem.

Nad Warszawą zapadał sympatyczny, ciepły wieczór. Jednak co czerwiec, to czerwiec. Zza naszych pleców nadleciał samolot. Przemknął nam tuż nad głowami i delikatnie usiadł na płycie lotniska. Pociągnąłem bucha z sziszy. Zapiłem zimnym piwkiem. Żyć nie umierać. Podwyżka. Wygrany przetarg. Pierwsza własna kampania na mieście. Z radia w garbusie popłynęły pierwsze takty *Jestem bogiem* Paktofoniki.

***

Kończyłem właśnie porannego papierosa, kiedy na moim biurku zadzwonił telefon.

– Cześć, masz może chwilę? – usłyszałem w słuchawce głos cycatej Marty.

– Dla ciebie zawsze. – Nie wiedzieć czemu miałem słabość do tej dziewczyny.

– A mógłbyś zejść do mnie na dół? Właśnie dostałam maila z Bella Donny. I chyba musimy pogadać. Wpadnie też Bernard.

Marta siedziała przy biurku, na którym wśród sprzętów biurowych leżały także jej piersi. Dwa gigantyczne przyciski do papieru. Przez chwilę zastanawiałem się, co by się stało, gdybym wetknął pomiędzy nie głowę. Czy wystawałaby chociaż odrobinkę? A może zniknęłaby całkowicie? To dopiero byłby odlot!

Wejście Bernarda zawróciło mój statek z powrotem na Ziemię.

– No i jak tam, Marto? – zapytał. – Podobno masz jakieś wieści z Bella Donny? Jest zielone światło? Kręcimy ten spot?

– Niezupełnie – odpowiedziała Marta, podając nam obu wydruki maila od klienta. – Rzućcie okiem na to...

W miarę czytania szczęka opadała mi coraz niżej. Dyrektorka marketingu Bella Donny wzywała przedstawicieli agencji na spotkanie robocze. ASAP*, jak się wyraziła. Temat: spot telewizyjny z kobietą w łódce. Cel: omówienie niezbędnych zmian w scenariuszu. Powód: bardzo niepokojące wyniki badania fokusowego**, a w szczególności niewystarczająco wysoki procent odpowiedzi „w pełni rozumiem" udzielonych przez respondentki na pytanie o związek między historią przedstawioną w scenariuszu a rzeczywistym

---

* ASAP – skrót od wyrażenia *as soon as possible* (ang.), tak szybko jak to możliwe; element żargonu korporacyjnego.
** Badanie fokusowe – badania konsumenckie w formie moderowanej dyskusji z niewielką grupą osób.

zastosowaniem reklamowanego produktu (spektrum możliwych odpowiedzi: „w pełni rozumiem" – „częściowo rozumiem" – „nie jestem pewna, czy rozumiem" – „raczej nie rozumiem" – „zupełnie nie rozumiem").

– O żeż kurwa! – zakląłem pod nosem.

– Święte słowa – zgodziła się Marta. – Jakie zmiany?! Teraz?! Kiedy jesteśmy już po castingu?! Kiedy zjeździliśmy dziesiątki plenerów?! Kiedy już przemalowaliśmy łódkę na czerwono i cała ekipa czeka pod parą?!

– Spokojnie, kochani. Nie ma sensu się nakręcać – za mało danych. Może nie trzeba będzie robić żadnej rewolucji. Może klientowi chodzi tylko o jakieś retusze – tonował nastroje Bernard. – Wszystkiego dowiemy się jutro. Jedziemy tam z samego rana. Cała nasza trójka. Ty, ja i Artur.

– Ja? – zdziwiłem się.

– Ty. W końcu to twoja koncepcja. Będziesz miał okazję o nią powalczyć. Tylko pamiętaj...

– Tak, wiem – wpadłem mu w słowo – mam się stosownie ubrać.

– I?

– I ładnie ogolić.

***

Wystrój sali konferencyjnej w Bella Donnie nie pozostawiał wątpliwości co do sztandarowego produktu firmy. Pod ścianami pufy w kształcie tamponów. Na ścianach plakaty z tamponami. Na jednej nawet płótno olejne – tamponowa martwa natura. Wszędzie duże standy wypełnione tamponami. Na honorowym miejscu, w ogromnej gablocie – kolekcja złotych statuetek Tampon Roku przyznawanych przez Ogólnopolskie Stowarzyszenie Konsumentów Produktów Higienicznych. Obok automat do tamponów. Wrzucasz monetę, wybierasz poziom krwawienia i po chwili w twojej dłoni ląduje tampon w odpowiednim rozmiarze.

Wprowadziła nas recepcjonistka w koszulce z nadrukowanym tamponem, logo Bella Donny, oraz nie najgorszym hasłem: „Dla nas każda donna jest bella". Rozdała naszej trójce najnowsze katalogi tamponów oraz firmowe breloczki w wiadomym kształcie. Na odchodnym zapytała, co chcemy do picia, i poinformowała, że pani Asia, to znaczy pani dyrektor, za minutkę do nas dołączy.

I rzeczywiście zaraz dołączyła. Blondyna. Lat na oko czterdzieści pięć. Balejaż i botoks. Solarium i sylikon. Jakieś ćwierć kilo złota. I Prada. Wszędzie, gdzie się tylko da. Pani dyrektor Asia. Weszła do sali zdecydowanym, energicznym krokiem. Krokiem kogoś, kto zawsze idzie po swoje. Tuż za nią przydreptała obładowana naręczem segregatorów jej młodsza i znacznie tańsza kopia. Zara zamiast Prady. Asystentka Kasia. Kot mówił mi kiedyś, że one prawie zawsze tak się nazywają: Asia, Kasia albo Basia. Widać na wydziale marketingu imiona studentek muszą się rymować.

Pani dyrektor Asia uścisnęła kolejno nasze dłonie. Najdłużej ściskała dłoń Bernarda. Odrobinę zbyt długo, jak na mój gust. W oczy też zajrzała mu jakoś tak trochę za głęboko. A kiedy szła, żeby zająć miejsce u szczytu długiego konferencyjnego stołu, raz po raz zerkała przez ramię, czy on patrzy, jak ona zamiata swoim zbotoksowanym tyłkiem. Nie patrzył, bo akurat witał się z asystentką Kasią. Podobnie jak my wszyscy. Tym razem jednak cały proces przebiegał bezdotykowo, bo dziewczyna nie miała ani jednej wolnej ręki.

Usiedliśmy, recepcjonistka wniosła napoje, asystentka Kasia zwaliła na stół całą przytachaną dokumentację i rozpoczęło się pierwsze w moim życiu spotkanie z klientem.

– Tak jak napisałam w mailu, mamy pewien problem z państwa spotem – otworzyła dyskusję pani dyrektor Asia.

– Tak, mamy problem – zawtórowała jej asystentka Kasia.

– A właściwie nie tyle my, ile nasze konsumentki – doprecyzowała ta pierwsza.

– Dokładnie, konsumentki – powtórzyła jak echo ta druga.

– Otóż nasze przeprowadzone na cito badanie fokusowe dało wyniki, hm, dość niepokojące – rozpoczęła budowanie atmosfery kryzysu pani dyrektor Asia.

– A nawet bardzo niepokojące – spotęgowała napięcie asystentka Kasia.

– No właśnie, badanie... – wtrącił Bernard. – Jeśli mnie pamięć nie myli, jakieś trzy tygodnie temu państwa prezes zaakceptował już nasz scenariusz. Zaznaczył też, że nie zamierza poddawać go żadnym badaniom fokusowym, ponieważ uważa, że wszelkim zmianom wizerunku produktu najlepiej służy element zaskoczenia.

– Drogi panie Bernardzie, czy widzi pan gdzieś w tej sali wspomnianego prezesa? – spytała pobłażliwie pani dyrektor Asia. – Nie? No właśnie. I już go pan tutaj raczej nie zobaczy.

– Jak mam to rozumieć?

– Dosłownie, panie Bernardzie, jak najbardziej dosłownie. Otóż pan prezes został pod koniec zeszłego tygodnia zawieszony w pełnieniu obowiązków. Decyzją rady nadzorczej. W związku z pewnymi, hm, uchybieniami natury formalnej. Między nami mówiąc, zarzuty są dość poważne.

Jeżeli mam być szczera, sądzę, że prezes zostanie wkrótce odwołany.

– Cóż, bardzo mi przykro – wysilił się na empatię Bernard.

– Ależ zupełnie niepotrzebnie. – Słowa pani dyrektor Asi zabrzmiały dość zaskakująco. – To bezkrólewie nie potrwa długo. Wiem z bardzo pewnego źródła, że już wkrótce rada nominuje na to eksponowane stanowisko nową osobę. Kto wie, może nawet ta osoba znajduje się teraz w tej sali... – Uśmiechnęła się tajemniczo. – Reasumując, panie Bernardzie, decyzje podjęte przez poprzedniego prezesa w związku z naszym spotem już w żaden sposób nie są wiążące.

– Proszę jednak wziąć pod uwagę, że na mocy tych właśnie decyzji przeprowadziliśmy już casting, wybraliśmy plener, wynajęliśmy łódkę i zabukowaliśmy ekipę filmową. Ponieśliśmy w związku z tym pewne koszty...

– O to proszę się nie martwić. Wszystkie koszty zostaną zrefundowane – uspokoiła Bernarda pani dyrektor Asia. – Po przedstawieniu przez agencję odpowiedniej dokumentacji, rzecz jasna.

– Rzecz jasna. – Asystentka Kasia stanowczo miała coś z papugi.

– A zatem, skoro kwestie organizacyjne mamy już z grubsza powyjaśniane, przejdźmy może do omówienia wyników badania fokusowego. – Pani dyrektor Asia dokonała zręcznej wolty. – Kasiu, oddaję ci głos.

– No więc tak... – zaczęła asystentka Kasia, nerwowo przekładając leżące przed nią papiery. – Na początku badania uczestniczki miały minutę na jak najdokładniejsze zapoznanie się ze storyboardem państwa spotu telewizyjnego. Następnie poprosiliśmy je o odpowiedź na pięć pytań. Pierwsze dotyczyło atrakcyjności przedstawionej w spocie historii. I tu trzydzieści trzy procent przebadanych kobiet zaznaczyło odpowiedź „bardzo interesująca", a czterdzieści jeden procent – „interesująca". Szesnaście procent respondentek skłoniło się ku odpowiedzi „ani interesująca, ani nieinteresująca", dziesięć procent zaś ku odpowiedzi „niezbyt interesująca". Odpowiedź „zupełnie nieinteresująca" nie padła ani razu. – Zawrotna szybkość, z jaką ta dziewczyna wyrzucała z siebie dane, pozwalała przypuszczać, że zostały one wykute na pamięć.

– Czyli, jeżeli dobrze rozumiem, prawie trzy czwarte konsumentek uznało nasz spot za ciekawy – wpadła jej w słowo cycata Marta. – To chyba nie najgorszy wynik, prawda?

– Owszem, akurat ten wynik uważamy za zadowalający – zgodziła się łaskawie pani dyrektor Asia. – Ale proszę posłuchać odpowiedzi na kolejne pytania. Kasiu, kontynuuj, proszę.

– Po drugie, zapytaliśmy, jakiego produktu dotyczy spot. Przypominam, że w tym momencie respondentki nie miały już wglądu w storyboard. W przypadku tego pytania dokładnie połowa kobiet wybrała odpowiedź „tampony" – recytowała dalej asystentka Kasia. – Odpowiedź „łódki" zyskała aprobatę dwudziestu pięciu procent uczestniczek. Kolejne siedemnaście procent zaznaczyło odpowiedź „wiosła". Pozostałe respondentki nie umiały niestety stwierdzić, co tak naprawdę chcieliśmy zareklamować. Dlatego wskazały odpowiedź „nie wiem".

– Co państwo na to? – spytała pani dyrektor Asia. – Nie niepokoi to państwa?

– To może ja, jeśli można... – zgłosiłem się do odpowiedzi.

– A pan kim właściwie jest, młody człowieku? – Wyraźnie starała się mnie onieśmielić. – Chyba nie dosłyszałam przy powitaniu.

– To jest Artur, nasz copywriter – uprzedził moją odpowiedź Bernard. – Przy okazji autor scenariusza badanego spotu.

– No więc, czy nie niepokoi pana, jako autora scenariusza, że zaledwie połowa konsumentek umie odpowiedzieć na pytanie, o czym jest pański spot? – tym razem pani dyrektor Asia zwróciła się bezpośrednio do mnie.

– Nie – odparłem hardo. Moja nowa, nietania, zakupiona specjalnie na tę okazję marynarka dodawała mi pewności siebie i sił polemicznych. – A to dlatego, że pytanie zostało zadane w całkowicie sztucznych warunkach. Wobec tego odpowiedź nie jest miarodajna. No bo jak się ma minutowy kontakt z kilkoma obrazkami na kartce papieru do dwumiesięcznego bombardowania gotowym, atrakcyjnym wizualnie filmem, puszczanym w najlepszym czasie antenowym? Moim zdaniem nijak. Zwłaszcza że komunikat telewizyjny będzie wzmacniany przez reklamy prasowe i billboardy. Przy takim natężeniu przekazu medialnego konsumentki z pewnością zdążą sobie utrwalić, jaki produkt reklamujemy. Dlatego nie widzę niebezpieczeństwa, że zamiast sprzedaży tamponów nakręcimy niechcący sprzedaż łódek. Albo, co gorsza, wioseł.

– Takie właśnie jest stanowisko agencji – wsparł mnie Bernard.

Kątem oka dostrzegłem, że odetchnął z ulgą. Pierwszy raz wziął mnie ze sobą do klienta. Skąd miał facet wiedzieć, czego się po mnie spodziewać w takiej sytuacji?

– No cóż, weźmiemy pod uwagę przedstawioną przez państwa argumentację – niechętnie złagodziła stanowisko pani dyrektor Asia. – Ale czas nas goni, więc teraz przejdźmy do kolejnych niepokojących kwestii. Kasiu, pytanie numer trzy proszę.

– Pytanie numer trzy może się państwu wydać znajome, ponieważ pani dyrektor przytaczała je już w mailu – poinformowała nas asystentka Kasia. – Miało wysondować, czy respondentki rozumieją związek między historią przedstawioną w spocie a naszym produktem, czyli tamponem. Otóż w pełni zrozumiało go zaledwie pięćdziesiąt procent przebadanych kobiet! Dalsze dziewiętnaście procent zadeklarowało, że rozumie częściowo. Trzynaście procent uczestniczek wskazało odpowiedź „nie jestem pewna, czy rozumiem". Reszta nie zrozumiała tego związku – „raczej" lub nawet „zupełnie".

– Ależ to rewelacyjny wynik! – wypaliłem, zanim pani dyrektor Asia zdążyła zapytać, czy przytoczone dane aby nas nie niepokoją. – Odpowiedzi na pytanie numer dwa dowodzą, że nawet przy ekstremalnie krótkiej ekspozycji storyboardu aż połowa respondentek bezbłędnie rozpoznaje reklamowany przez nas produkt jako tampon. Natomiast odpowiedzi na pytanie numer trzy pokazują, że każda z tych pięćdziesięciu procent kobiet dodatkowo rozumie jeszcze związek pomiędzy naszą historią a państwa towarem. Ba, częściowo rozumieją go nawet te uczestniczki badania, które poprzednio nie rozpoznały samego produktu. Czyli scenariusz jest więcej niż klarowny!

– Tak, te wyniki bez wątpienia świadczą o sile naszego scenariusza – natychmiast przyłączył się do mnie Bernard. –

Aż sam jestem zaskoczony! Oczywiście w pozytywnym tego słowa znaczeniu.

– Hm, muszę przyznać, że do tej pory nie patrzyłam na te dane w taki sposób. Ale może coś w tym jest... – Pani dyrektor Asia zaczęła jakby trochę mięknąć.

– Moim zdaniem odpowiedzi na pytanie numer trzy zdecydowanie należy rozpatrywać przez pryzmat odpowiedzi udzielonych na pytanie numer dwa. Z logicznego punktu widzenia to naczynia połączone – kułem żelazo, póki gorące.

– Może i racja... – skapitulowała pani dyrektor Asia.

Trafiona, zatopiona.

– A więc przejdźmy może do kolejnego pytania – przejął inicjatywę Bernard. – Nie chcemy zabierać paniom całego dnia. Pani Kasiu, jak brzmiało pytanie numer cztery?

– Pytanie numer cztery miało charakter otwarty. – Asystentka Kasia wyraźnie poczuła się pewniej, mogąc powrócić do recytowania wyuczonych treści. – Poprosiliśmy uczestniczki badania o wskazanie sceny, którą po zapoznaniu się ze storyboardem uznały za najatrakcyjniejszą część przekazu. I tutaj były prawie jednomyślne. Ponad dziewięćdziesiąt procent wybrało scenę na pomoście, kiedy to bohaterka przekazuje opakowanie tamponów swoim przyjaciółkom. I dlatego pomyślałyśmy sobie...

– I dlatego pomyślałyśmy sobie, że warto wyciągnąć z tych danych odpowiednie wnioski – wpadła jej w słowo pani dyrektor Asia. Najlepsze swoim zdaniem kwestie najwyraźniej zarezerwowała dla siebie. – Skoro respondentki najwyżej oceniły scenę z przyjaciółkami, to może warto ją rozbudować. A to, co się działo na łódce, jakoś okroić, albo w ogóle wyciąć. Co państwo na to? Nasza konkurencja też stawia w swoich spotach przede wszystkim na takie obrazki. Komunikuje, że nawet w te trudne dni można być jak cała reszta dziewczyn i cieszyć się różnymi aktywnościami wspólnie z nimi.

– Owszem, cała konkurencja robi dokładnie tak, jak była pani łaskawa to opisać – podjąłem rzuconą rękawicę, czując, że to mój dzień. – Wysyła miesiączkujące kobiety na basen, na aerobik albo na dyskotekę. Razem z koleżankami oczywiście. I jaki jest tego skutek? A taki, że reklam konkurencji nie sposób od siebie odróżnić. Wszystkie są na jedno kopyto. Założę się, że nawet panie, które są wybitnymi znawczyniami tematu, nie powiedziałyby mi tak na gorąco, gdzie rozgrywa się akcja najnowszego spotu takiego na przykład Tampomaxu.

– Na jodze! – wypaliła pani dyrektor Asia.

– Na karate! – wykrzyknęła w tym samym momencie asystentka Kasia.

– Ależ nie, moja droga. Spot o karate to marka Full Comfort.

– Racja, pani dyrektor. Ale joga to z kolei tampony Super Girl.

– Akcja najnowszej reklamy Tampomaxu rozgrywa się podczas pokazu pływania synchronicznego – podpowiedziałem uczynnie. – Ale to zupełnie bez znaczenia, ponieważ, jak same panie widzą, nikt nie pamięta, o jaką markę chodzi. Zbyt dużo podobnych przekazów w tym segmencie. Za to nasza dziurawa łódka wybije się w każdym bloku reklamowym. A razem z nią Bella Donna. Marka zupełnie inna niż wszystkie. Najlepiej zapamiętywalna.

– Zresztą dokładnie takie oczekiwania przedstawili państwo w briefie – docisnął Bernard. – Spot miał być nie do pomylenia z żadną inną reklamą tej kategorii produktowej. Ta inność miała być właśnie państwa przewagą konkurencyjną. I tak zdefiniowany cel został naszym zdaniem osiągnięty.

– No, naprawdę, nie sposób dziś panów przegadać. – Wobec siły naszej argumentacji pani dyrektor Asia sięgnęła po broń w postaci nerwowego żartu. – Ale przed nami jeszcze jedno pytanie, które padło w trakcie badania. Kasiu, poproszę cię o parę słów na ten temat.

– Już się robi, pani dyrektor – zameldowała posłusznie asystentka Kasia. – Ostatnie, piąte pytanie dotyczyło hasła pojawiającego się w ostatniej scenie spotu. Respondentki miały za zadanie określić, czy i w jakim stopniu zachęca ono do zakupu naszego produktu. I tu dwadzieścia cztery procent kobiet zaznaczyło odpowiedź „bardzo zachęca", a dalsze siedemnaście procent – „umiarkowanie zachęca". Dwadzieścia osiem procent uznało, że nie ma zdania na ten temat. Niestety, aż dwadzieścia sześć procent zdecydowało, że hasło „nie bardzo zachęca" do nabycia naszych tamponów. A pięć procent badanych wybrało nawet odpowiedź „zniechęca".

– Czyli hasło jest do zmiany! – zawyrokowała pani dyrektor Asia.

– Ewidentnie do zmiany! – wzmocniła przekaz przełożonej asystentka Kasia.

Już miałem otworzyć usta, żeby dać odpór kolejnej intelektualnej herezji, ale cycata Marta kopnęła mnie pod stołem. Spojrzałem na nią z wyrzutem, a ona natychmiast przekierowała mój wzrok na komunikat zapisany w leżącym przed nią notesie: „Nie walcz o hasło! Niech czują, że mają ostatnie słowo".

– No cóż, odpowiedzi na to pytanie rzeczywiście dają do myślenia – usłyszałem głos Bernarda. – Nasi copywriterzy popracują jeszcze nad tą kwestią. Jutro przed końcem dnia przedstawimy paniom nową propozycję sloganu. Zdążymy, prawda Arturze?

– O tak! – przytaknąłem z nieźle udawanym entuzjazmem.

– Proszę być jak najlepszej myśli. Na jutro na pewno wymyślimy coś bardziej zachęcającego do zakupu.

– Czyli, reasumując, wszystko poza hasłem pozostaje bez zmian – upewniła się raz jeszcze cycata Marta.

– Na tę chwilę tak. Czekamy jutro na storyboard z nowym hasłem. Przebadamy je metodą korytarzową, wśród dziewczyn z naszej firmy. Jeżeli wyniki będą zadowalające, to nie wykluczam zielonego światła dla spotu. Jeżeli nie, hm, wtedy zastanowię się, co dalej.

Pani dyrektor Asia wyraźnie zostawiała sobie pole manewru, dając przy tym do zrozumienia, że jesteśmy zdani na jej łaskę i niełaskę.

Wstaliśmy od stołu i wymieniliśmy pożegnalne uściski dłoni. Pani dyrektor Asia znów najdłużej przytrzymała dłoń naszego prezesa, posyłając mu przy tym powłóczyste spojrzenie. Wychodząc z sali, Bernard potknął się i upuścił teczkę. Żeby ją podnieść, musiał wykonać coś na kształt skłonu. Zauważyłem wtedy, jak szefowa marketingu Bella Donny bez krępacji taksuje jego wypięte pośladki. Cóż, w gospodarce rynkowej wszystko jest towarem.

COPYFIGHTER

***

Nowego hasła do spotu z łódką nie musiałem nawet wymyślać. Na twardym dysku wciąż miałem ze dwadzieścia tamponowych sloganów, które popełniłem przy poprzednim podejściu. Wydrukowałem je w dwóch egzemplarzach i zaprosiłem Kota na balkon – na fajka i burzę mózgów.

– Jak oni chcą robić jeszcze jakieś badania, to z góry odrzucamy wszystkie hasła z przekrętką – zawyrokował Kot, kończąc lekturę mojego zestawienia. – Na fokusach najlepiej sprawdza się dosłowność.

– Żadnych fokusów już nie będzie. Oni mają zamiar przebadać to we własnym gronie – sprostowałem.

– No to tym bardziej żegnamy się z zabawami słownymi. Bo trzeba ci wiedzieć, chłopaku, że średni poziom kumacji w marketingu jest nawet niższy niż wśród ogółu społeczeństwa. Tego akurat jeszcze nikt nie badał, ale kiedy ktoś to już zrobi, na bank potwierdzi moją tezę.

– Czyli dajemy coś megaprostego, tak?

– Dokładnie. I najlepiej, żeby to coś jeszcze się rymowało. Czekaj, czekaj, ty masz tu przecież nawet jedną taką perełkę. – Kot przez chwilę skanował kartkę z hasłami. – O, jest! „Wybierz superchłonny tampon Bella Donny!"

– No nie wiem... Naprawdę? Taka częstochowa?

– Coś tak czuję, chłopaku, że to właśnie ta częstochowa będzie już niedługo przyciągać pielgrzymki konsumentek. Zakład, że nasze klientki to łykną? Jak przegram, to oddaję ci te pięć stów za przetarg. Serio. A jak wygram, to stawiasz mi obiad u Chińczyka. No, przyjmujesz czy pękasz?

– Widzę, że grasz va banque! Naprawdę uważasz, że to pewne?

– Jak HIV w afrykańskim burdelu. – Kot potrafił urzec barwnym porównaniem.

– OK. Zakład stoi. – Uścisnąłem mu dłoń.

Przez moment zastanawialiśmy się z Kotem, czy nie zaszokować klienta tempem naszej pracy, prezentując nową propozycję grubo przed terminem. Jednak po namyśle uznaliśmy, że lepiej będzie stworzyć pozory dogłębnej analizy tematu i przekisić go przez dwadzieścia cztery godziny. Dopiero następnego dnia po obiedzie storyboard ze zmienionym hasłem znalazł się w skrzynce mailowej cycatej Marty. A stamtąd śmignął już prosto do klienta.

***

– Artur, jest feedback z Bella Donny – oznajmiła cycata Marta, stając w drzwiach naszej copywriterskiej klitki. – Możesz już przestać pytać mnie o to co pięć minut.

– No i co piszą? – spytałem niecierpliwie.

– News za fajkę. – Marta była urodzonym handlowcem.

Natychmiast pociągnąłem ją na balkon, wepchnąłem jej do ust camela i podałem ogień.

– Panie z marketingu są zachwycone nowym hasłem – powiedziała, wypuszczając dym. – Twierdzą, że właśnie o taki call to action im chodziło.

– A nie mówiłem?! – ucieszył się Kot, który też pojawił się na balkonie. – Stawiasz Chińczyka, chłopaku!

– Czyli co, mamy ostateczny akcept? Kręcimy wreszcie ten spot? – Postanowiłem chwilowo zignorować Kota i skupić się na Marcie. Zwłaszcza że ona była cycata, a on nie.

– Akcept owszem, mamy, ale na razie tylko na hasło. O scenariuszu spotu pani dyrektor Asia chce jeszcze pogadać z Bernardem. Pytałam, czy ja mogę jej jakoś pomóc. Ale nie, to musi być, kurwa, Bernard – w głosie Marty pojawiła się nutka irytacji. – Mają się zdzwaniać jutro z samego rana. Oby to coś dało, bo ta cała sytuacja zaczyna mnie już trochę męczyć.

– Oby! – zgodził się Kot. – Ale my tu gadu-gadu, a u Chińczyka happy hour trwa już w najlepsze! Chodź, chłopaku, odbiorę swoją wygraną. – Pociągnął mnie za rękaw. – Najchętniej pod postacią kaczki po pekińsku.

– Idziesz z nami? – zapytałem cycatą Martę. – Dzisiaj ja stawiam.

– Jak stawiasz, to idę. Tylko wiesz, ja jestem bezmięsna.

– Spoko. Dają tam obłędne tofu na ostro.

***

Następnego ranka dotarłem do agencji parę minut przed dziewiątą. Bernard był już u siebie. Czekał na telefon w sprawie spotu. Po cichutku wślizgnąłem się do kibelka. Oczywiście nie włączałem światła. Siedziałem tak po ciemku już prawie kwadrans, kiedy upragniony telefon wreszcie zadzwonił.

– Witam serdecznie, pani Asiu – usłyszałem przez ścianę głos Bernarda. Profesjonalnie uprzejmy jak zawsze. – Ależ absolutnie nie dzwoni pani za wcześnie. Od dawna jestem już w firmie. Ha, ha, święta racja, kto rano wstaje... Tak, oczywiście, Marta relacjonowała mi treść wczorajszej korespondencji z panią. Bardzo się cieszę, że nowe hasło się spodobało. Tak, copywriterzy wreszcie się postarali. Ma pani rację, można było tak od razu. Dobrze, następnym razem mocniej ich przycisnę.

A to dziwka, pomyślałem. Jak to, kurwa, wreszcie się postarali?! A wcześniej to co, chujami młynki kręcili?! Na Bernarda też zaczynałem być zły, że we wszystkim tak babie przytakuje. Ale może cel uświęca środki?

– Ależ naturalnie, możemy porozmawiać o spocie – za ścianą Bernard nadal tańczył, jak mu pani dyrektor Asia zagrała. – Tak, Marta wspominała, że wciąż ma pani mieszane uczucia. Rozumiem, że to strategiczna decyzja. Oczywiście, że ogromny wydatek. Owszem, wiem, że konkurencja tylko czeka na pani błąd. Zgadza się, dyrektor marketingu rzeczywiście jest jak saper. Znakomite porównanie!

Zacząłem się zastanawiać, czy można przedawkować wazelinę. I czy od tego się umiera.

– Nie, naprawdę nie wpuszczam pani na minę – kontynuował cierpliwie Bernard. – Nie, nie widzę żadnego ryzyka dla wizerunku marki. Nie, wyniki badań fokusowych zupełnie mnie nie niepokoją. Tak, podpisałbym się pod wszystkim, co powiedzieliśmy na spotkaniu. A skoro już jesteśmy przy podpisach, to czy mógłbym prosić panią o złożenie swojego? Tak, pod zleceniem realizacji spotu. Dokładnie, timing robi nam się trochę napięty. Tak, zgodnie z mediaplanem* emisja już za dwa tygodnie.

Za ścianą na chwilę zapadła cisza. Pewnie pani dyrektor Asia wygłaszała teraz jakąś dłuższą kwestię. A Bernard słuchał.

– Ależ nie, pani Asiu, nie to miałem na myśli – znów rozległ się głos naszego prezesa. – Nie, naprawdę nie ma

---

* Mediaplan – szczegółowy plan wykorzystania mediów w kampanii reklamowej; zawiera między innymi terminy, koszty oraz zasięg konkretnych działań mediowych.

obawy. Na nic nie jest za późno. Nie, absolutnie nie trzeba będzie zmieniać mediaplanu. Ze wszystkim zdążymy. Tylko musimy zacząć działać. Najlepiej natychmiast. Czyli ruszamy, tak? No to cieszę się bardzo. O której mogę przysłać kuriera po ten dokument? Osobiście? Jak najbardziej. Tak, w południe bardzo mi pasuje. Podjadę do pani. Nie do biura? Lunch? Z przyjemnością. Tylko proszę powiedzieć gdzie. Hotel Belwederski? Owszem, znam. To parę minut spacerkiem od nas. Serwują tam wyborną jagnięcinę. Zarezerwować stolik na dwunastą? Ach, nie w restauracji? Więc gdzie? Nie bardzo rozumiem... Jaki apartament? Jak to pani dla nas zabukowała? Ale w jakim celu? Tak, wiem, że interesy lubią ciszę. Ale żeby aż taką?! Nie, pani Asiu, nie robię sztucznych problemów. Oczywiście, że zależy mi na tej kampanii. Tak, zdaję sobie sprawę, że niczego pani jeszcze nie podpisała. Rozumiem, że w każdej chwili może się pani jeszcze rozmyślić. Dobrze, będę. Tak, wiem, że pani nie gryzie. Jeszcze raz, które to piętro? A więc do zobaczenia.

Cholera, robiło się naprawdę ciekawie. Za nic w świecie nie mogłem zgubić tego tropu.

Kiedy za ścianą ucichło, natychmiast ewakuowałem się z kibelka. W końcu ta dziwaczna rozmowa mogła podziałać na Bernarda moczopędnie. Pognałem po schodach na górę. Na naszym balkonie Kot palił już w najlepsze. Dołączyłem. Pogadaliśmy chwilę o dupie Maryni i usiedliśmy do kompów. W niecałą godzinkę machnąłem teksty do ulotki o dietetycznej kawie rozpuszczalnej. Sczytałem je dokładnie pod kątem literówek i wysłałem do Helgi. Zaraz potem zadzwoniłem do Bernarda.

– Witaj, prezesie. Artur z tej strony. Słuchaj, mogę dziś wyskoczyć na jakieś dwie godzinki? Kiedy? Jakoś tak w środku dnia. Da radę? No to super, dzięki. Nie, żadna tajemnica. Oglądam auto. Tak, chcę kupić. Pewnie, że używane. Taka mała fiesta. A tu, niedaleko. Dobra, wrócę jak najszybciej. Jeszcze raz dzięki.

– O, kupujesz furę, chłopaku! – ucieszył się Kot.

– Na razie tylko się przymierzam. Oglądam.

– Jakby co, to mogę rzucić okiem na tę fiestę. Trochę się na tym znam. Iść z tobą?

– Dzięki, stary. Wiem, że masz dziś w chuj roboty.

***

Kwadrans przed południem zająłem strategiczną pozycję dokładnie naprzeciwko Hotelu Belwederskiego. Przyczajony za drzewem po drugiej stronie Belwederskiej, obserwowałem ruch przy wejściu. Za dziesięć dwunasta pod hotel podjechała taksówka, z której wysiadła pani dyrektor Asia. Balansując na niebotycznie wysokich obcasach, pospiesznie wkroczyła do środka. Jakieś pięć minut później od strony Gagarina nadszedł Bernard. Nienaganna fryzura, opalenizna tenisisty, świetnie skrojony letni garnitur. Nasz jak cię widzą, tak cię piszą prezes. Przed wejściem spojrzał jeszcze na zegarek i zniknął za obrotowymi drzwiami. Zapaliłem papierosa i wygodnie oparłem się o drzewo. Czułem, że trochę sobie poczekam. Na szczęście miałem w plecaku świeży „Press".

Przy lekturze czas szybko mijał. Właśnie studiowałem zestawienie najlepszych i najgorszych sloganów reklamowych ostatniego miesiąca, kiedy z hotelu wyłoniła się pani dyrektor Asia. Cała w skowronkach. Tuż za nią, w wymiętej koszuli, poluzowanym krawacie i z marynarką przerzuconą przez plecy, wyszedł Bernard. Pod pachą trzymał teczkę na dokumenty. Czyżby zdobył ten podpis pod zleceniem? Szefowa marketingu Bella Donny władczym gestem przywołała stojącą nieopodal taksówkę. Auto podjechało kawałek i zatrzymało się przed samym wejściem. Pani dyrektor Asia odwróciła się w kierunku Bernarda, chwyciła go za krawat i zdecydowanym ruchem przyciągnęła do siebie. Jej chirurgicznie zapgrejdowane usta łapczywie wpiły się w usta naszego prezesa. Jej sylikonowy biust mocno przywarł do jego klatki piersiowej. Jej zadarta do tyłu, ugięta w kolanie noga wycelowała niewiarygodnie długim obcasem marki Prada prosto w niebo. Nasyciwszy się pocałunkiem, pani dyrektor Asia delikatnie odepchnęła Bernarda i niemiłosiernie zamiatając tyłkiem, ruszyła do taksówki. Wsiadając, posłała mu jeszcze całusa i figlarnie zatrzepotała rzęsami od Diora.

Kiedy auto odjechało, Bernard wytarł usta rękawem, wsypał w siebie pół opakowania tic-taców i szybkim krokiem ruszył w stronę agencji. Szedłem jego śladem, zachowując bezpieczną odległość. Wiedziałem, że i tak dotrę na miejsce przed nim, skrótem przez park. On w swoich włoskich lakierkach za półtora tysiąca zawsze kurczowo trzymał się chodników. Kilkadziesiąt metrów przed naszą furtką spotkałem Kota i Marleya. Wracali od Turka.

– I jak ta fiesta, chłopaku? – zagadnął Kot.

– Do dupy. Kurewsko duży przebieg – przygotowana zawczasu odpowiedź zabrzmiała wiarygodnie.

– W auta i kobiety z dużym przebiegiem nie ma sensu się pakować – Kot był chodzącą fabryką życiowych sentencji.

– Głowa do góry, człowieku man – pocieszył mnie Marley. – Fajnych fur na świecie nie brakuje. W końcu znajdziesz tę jedyną.

Przed wejściem do agencji jeszcze sobie zapaliliśmy. Nasze camele były już bardzo krótkie, kiedy na miejsce dotarł Bernard. Cóż, drogie buty nie zawsze niosą szybciej.

– Panowie, wołajcie wszystkich do sali konferencyjnej! – zarządził prezes. – Mam dla was dobre wieści.

***

Ogólnopolska kampania tamponów marki Bella Donna wystartowała zgodnie z mediaplanem, czternaście dni później. Przez okrągłe dwa miesiące mój spot z dziurawą łódką śmigał sobie w najlepszym czasie antenowym po wszystkich jedynkach, dwójkach, polsatach i tefałenach. W tym samym czasie billboardy zaprojektowane przez Alfa umilały stanie w kilometrowych korkach mieszkańcom największych polskich miast. Wiodący miesięcznik branżowy określił nasz przekaz jako „świeże spojrzenie na niezwykle konserwatywną dotąd kategorię kobiecych produktów do higieny intymnej". W zestawieniu najlepszych sloganów reklamowych miesiąca pojawiło się również hasło, pod którym ostatecznie poszła kampania: „Wszystko ujdzie ci na sucho". Czyli pierwotna rekomendacja agencji. Zamiast infantylnej częstochowy, przed którą padły na kolana panie z marketingu. Jak się okazało, Bernard zagrał w hotelu o całą pulę.

Tajemną wiedzę na temat rzeczywistego przebiegu tej gry postanowiłem zachować dla siebie. Czułem, że stanowi kapitał, który w przyszłości można będzie naprawdę korzystnie zainwestować. A poza tym byłem Bernardowi tak po ludzku wdzięczny. Za jego cielesne poświęcenie, dzięki któremu miałem na mieście swoją pierwszą kampanię. Przez bite dwa miesiące co wieczór miałem okazję pobrandzlować się przed telewizorem wytworami własnej wyobraźni. Przez cały ten czas mogłem, niby przypadkiem, umawiać się z nielicznymi już i coraz mniej znajomymi znajomymi pod wielkimi billboardami ze swoim hasłem i z wystudiowanym zdziwieniem mówić: „Ty, patrz, przecież to moje!". Tak, to wszystko stanowczo zasługiwało na odrobinę wdzięczności.

***

Beneficjentów kampanii tamponów Bella Donna było wielu. Ja – bo podsłuchałem przez ścianę, że jeszcze jeden taki strzał i trzeba będzie awansować mnie na copywritera nie-juniora, a także dać więcej kasy, żebym sobie przypadkiem gdzieś nie poszedł. I Bernard. Bo świetny odbiór naszej kreacji zapewnił agencji świeży dopływ zleceń. I pani dyrektor Asia. Bo wdrożona przez nią kampania z miejsca przełożyła się na sprzedaż, a ona sama z miejsca przesiadła się na fotel prezesa firmy. I wreszcie asystentka Kasia. Bo fotel dyrektora marketingu nie mógł przecież pozostać pusty. No cóż, jednych świat nagradza, bo są w czymś dobrzy. A innych, bo są.

RUNDA TRZECIA

W firmie z dnia na dzień przybywało roboty. Tamponowy sukces dodał Bernardowi skrzydeł. Jak wygłodniały sęp krążył na nich po mieście, bez wahania rzucając się na każdy przeoczony przez inne sępy kawałeczek reklamowego tortu. Dziobał i dziobał. Nie przepuszczał żadnemu klientowi. Łykał wszystko jak leci. A najmocniej wbijał pazury w tak zwane stałki, czyli BTL-owe* zlecenia długoterminowe, zapewniające agencji regularne porcje odżywczej gotówki.

Czasu nie odmierzały nam już tylko kolejne numery gazetki Top Mediki. Były też foldery z ciągle zmieniającą się ofertą Banku Godnego Zaufania. Oraz ulotki z comiesięcznymi, demoralizująco atrakcyjnymi promocjami Taniego Dyskontu Spożywczego. Musieliśmy się z Kotem jakoś tymi wszystkimi dobrodziejstwami podzielić, bo częste przeskoki z kredytów odnawialnych na wołowe z kością na dłuższą metę mogłyby okazać się dla naszych organizmów zabójcze. Rzut monetą zdecydował, że Kot na co

---

* BTL (ang. *below the line*) – działania reklamowe skierowane do konkretnego klienta (ulotki, gazetki ofertowe, katalogi, foldery oraz inne materiały wykorzystywane w punktach sprzedaży).

dzień obraca wysokimi kwotami, a ja rzucam mięchem. Gazetkę Top Mediki nadal robiliśmy wspólnie. Nadal niezawodną metodą na przygłupa. Cóż, tradycja fundamentem zdrowych relacji w społeczeństwie.

Oczywiście Bernard nie poprzestał na BTL-owych stałkach. Poczucie bezpieczeństwa to jedno, ale w reklamie nigdy nie wolno zapominać o mołojeckiej sławie i poważaniu na mieście. A te zdobywa się tylko dzięki wygranym konkursom ATL-owym. Tak więc średnio co dwa tygodnie toczyliśmy razem z Kotem zażarte przetargowe boje intelektualne z setką innych warszawskich kreatywnych. Czasem nawet wygrywaliśmy.

Kot na przykład zamiótł wszystkich pod dywan przy przetargu na outdoor i prasę dla wody źródlanej Arkadia. Tej rozwożonej po biurach i domach w wielkich plastikowych bańkobutlach. „Dzwonisz i masz wodę z bańki" – napisał. I moim zdaniem otarł się wtedy o geniusz. Zresztą nie tylko wtedy. Ten chłopak w ogóle miał jakąś irytującą łatwość przebierania wulgarnych komunikatów sprzedażowych za poetyckie aforyzmy z semantyczną przekrętką. U niego słowo zawsze dziwiło się słowu, jak by powiedział papież pewnej awangardy. Nie, żebym Kotu zazdrościł. W końcu ja też potrafiłem wycisnąć z siebie całkiem zgrabne hasło. Tyle że u mnie był to wielogodzinny poród bez znieczulenia.

Za to biłem Kota na głowę w myśleniu metaforycznym. Zawsze potrafiłem szybko wynaleźć atrakcyjną przenośnię. Tym właśnie wygrywałem przetargi. Na przykład na kampanię prasową dla największego europejskiego producenta urządzeń sanitarnych. Połączyłem sobie te urządzenia w system i osadziłem w terminologii komputerowo-internetowej. Kupa była u mnie plikiem, sedes skrzynką nadawczą, przycisk spłuczki klawiszem Enter, inteligentnie podmywający bidet programem antywirusowym, a rury stałym łączem. Całość puściłem pod hasłem „W net łazienkę zmień!". Klient kupił to na pniu, kampania chodziła w prasie przez okrągły rok i podobno przełożyła się na sprzedaż, a Bernard wywalił mi juniora sprzed copywritera i dał trójkę netto.

Działaliśmy z Kotem coraz bardziej komplementarnie. Ja wymyślałem nośną koncepcję, on dopisywał chwytliwy slogan. W ten sposób pracowaliśmy o wiele szybciej. Byliśmy naprawdę skuteczni. Po paru miesiącach rozumieliśmy się bez słów. Rozumieliśmy też coraz lepiej, ile tak naprawdę znaczymy dla Bernarda. W większości agencji copywriter pracował w teamie z grafikiem (który oczywiście nalegał, by nazywać go art directorem). Jeden był odpowiedzialny za wymyślanie słów, drugi za wymyślanie obrazów. Koncepcje tworzyli wspólnie. I wspólnie odpowiadali za ich sukcesy i porażki. U Bernarda graficy dostawali na tacy gotowe koncepcje, od nas, copywriterów. I jeszcze mogli w nich przebierać. A premie za wygrane przetargi brali takie jak my. A pensje nawet większe. I gdzie tu, kurwa, sprawiedliwość?!

Wzmocniony paroma sukcesami, byłem gotów z miejsca robić o tę naszą copywriterską krzywdę dym. Powstrzymał mnie Kot, który przedstawił mi swój, wcale nie głupi, pogląd na całą sprawę. System w agencji jest niesprawiedliwy, to fakt. I jak każdy taki w końcu upadnie. Kiedy wreszcie nadejdzie rewolucja, nasi graficy będą jak biała arystokracja w 1917. Zbyt zdemoralizowani i gnuśni, żeby podjąć skuteczną walkę. Bezradne owieczki skazane na rzeź. Za to my – uciskany, ale zahartowany w bojach copywriterski proletariat – będziemy gotowi, żeby zmieść ich leniwe tyłki z mięciutkich obrotowych foteli z wysokimi oparciami i zagonić do prawdziwej intelektualnej orki. Krótko mówiąc, Kot wieszczył nieuchronną zmianę w strukturze naszej kreacji. Zleceń do obrobienia mamy z dnia na dzień więcej. W końcu coś wymknie nam się spod kontroli, przekonywał. Coś zawalimy. I Bernard poszuka winnych. Ale nie znajdzie. Bo w tym systemie nie da się ich znaleźć. Wtedy wyznaczy kogoś, kogo będzie można obwiniać w przyszłości. I przestaniemy być jedyną w mieście agencją bez dyrektora kreatywnego. A kogo Bernard wybierze na takiego dyrektora? No kogo? Ani chybi kogoś z naszej copywriterskiej klitki. Raczej Kota, bo dłużej robi w branży. Ale przecież nigdy nic nie wiadomo.

Takie proroctwo snuł Kot, stojąc przede mną w spranym T-shircie z salutującym Fidelem. Często wplatane bluzgi i pomięty camel bez filtra w kąciku ust dodatkowo uwiarygadniały go w roli proletariackiego rebelianta. Kupiłem tę jego wizję. I ten scenariusz. I postanowiłem chwilowo wstrzymać się z robieniem dymu. W wyścigach po władzę najgorsze są falstarty.

Na fali rewolucyjnego uniesienia kupiłem sobie na Allegro czerwoną bluzę z pancernikiem Potiomkinem. A poproszony przez klienta o jakiś slogan na rozpoczęcie roku szkolnego, spłodziłem „Czas na walkę klas".

***

Rewolucja rzeczywiście nadeszła. Jak zwykle – w paździer-
niku. Wzięła się właściwie z niczego. Roboty mieliśmy wtedy w agencji od groma, ale dawaliśmy radę. My z Kotem
obrabialiśmy naszą działkę na czas. Chociaż dzień pracy
wydłużył nam się niepostrzeżenie do dziesięciu godzin. Najwięcej życia zabierały nam oczywiście trzy duże BTL-owe
stałki. Masa pisania. A jeszcze trzeba było wygospodarować
czas na kreatywne boje w przetargach. Chociaż tych było
teraz trochę mniej. New businessowe ADHD Bernarda jakby osłabło. Widocznie chwilowo nasycił się tamponami,
wodą źródlaną i supersedesami z systemem inteligentnego
podmywania. Jeżeli dorzucał coś do naszego koszyczka, to
pojedyncze mikroprojekty. Jednorazowe strzały. Gówienka
typu plakat na promocję dietetycznej kawy rozpuszczalnej
czy baner do sklepu RTV/AGD. Teoretycznie takie zlecenia
były do ogarnięcia w jeden dzień. No bo nad czym tu delibe-
rować! Proste sprzedażowe hasło, duże zdjęcie produktu
i gotowe. Ale tylko teoretycznie. Bo przecież jest jeszcze
klient. Z punktu widzenia zleceniodawców te prace były
na tyle nieistotne, że pieczę nad nimi powierzano zwykle ja-
kiemuś przynieś, podaj, pozamiataj, jakiejś zahukanej dzie-
wuszynie, którą dotąd wykorzystywano jedynie do parzenia
kawy. I laska robiła sobie z tego projektu dzieło życia. Wy-
dumaną trampolinę do Bóg wie jakiej kariery. Wtedy jeden
głupi plakat maglowało się całymi tygodniami. A to logo
za małe. A to produkt nie w tym miejscu. A to hasło nie dość
natarczywe. A to wreszcie w layoucie za dużo pustego miejsca. A przecież ona nie płaci za to, żeby było pusto. Więc
miesza i miesza, aż wreszcie każdy centymetr kwadratowy

powierzchni jest już szczelnie zapchany. I chuj z kompozycją! I jeszcze większy z proporcjami! Im więcej taka namąci, tym jest szczęśliwsza. I coraz bardziej uderza jej do łba nieznane dotąd poczucie władzy. Nad mróweczkami z agencji, które grzecznie zapierdalają pod jej dyktando. Próbuje nasycić się tą władzą na zaś. Robi zapasy. Dzięki nim przetrwa niejedną trudną chwilę, kiedy już wróci do parzenia kawy starszym rangą koleżankom. Więc zmienia, póki może. Po kilkunastu rundach takich zmian (nie wiedzieć czemu nazywanych przez marketing poprawkami) wysyłaliśmy do drukarni graficznego potworka obrażającego poczucie estetyki i inteligencję każdego w miarę zdrowego na umyśle konsumenta. Nie dość, że Bernard zarabiał na takich rzeczach grosze, to jeszcze nie mógł ich włożyć do agencyjnego portfolio. Bo wstyd. Jak beret.

Tymczasem Helga znalazła swój kamień filozoficzny, dzięki któremu praca nad kolejnymi gazetkami Top Mediki szła jej jak złoto. Opędzała je w okamgnieniu. Szast-prast i następna proszę. Szybko też nauczyła się Banku Godnego Zaufania. Pierwszy numer tego wydawnictwa to była dla niej droga przez mękę. Ale już przy drugim poukładała sobie wszystko tak, żeby za bardzo nie bolało. Kluczowym elementem tej układanki był Marley. Ze sprawnością godną pracownika giełdy opracowywał coraz to nowe wykresy, diagramy i infografiki przedstawiające prognozowany wzrost wartości produktów finansowych BGZ, ryzyko inwestycyjne mierzone standardowym odchyleniem stóp zwrotu oraz metody dywersyfikacji rozmaitych portfeli inwestycyjnych. Jakim cudem nasz rasta-fantasta tak doskonale odnajdował się w tym Babilonie? Tego nie wiedział nikt. Jedyną godną uwagi teorię wysunął Kot. Według niego był to niezbadany dotąd efekt uboczny THC*. Tak czy siak, Bank Godny Zaufania dział graficzny miał pod kontrolą.

Prace nad Tanim Dyskontem Spożywczym toczyły się tylko na samej górze, u chłopaków z DTP. Alf zaprojektował do tej gazetki tak pojemny i elastyczny layout, że wystarczyło na bieżąco podmieniać ceny i zdjęcia całej tej wyżerki. Art director nie miał tu zbyt wiele do roboty. I bardzo dobrze, bo Helga trzeciej stałki by już nie uniosła, a Mieszko stanowczo odmówił robienia Taniego Dyskontu. Ze względów światopoglądowych. Tam prawie samo mięcho, a on był przecież wegetarianinem.

Muszę przyznać, że w ogóle byłem coraz mniejszym fanem Mieszka. Koleś mnie wpieniał. Stałek nie dotykał. W przetargach jego projekty były tylko egzotycznym tłem dla prac Alfa. Za co on, do kurwy nędzy, brał tu pieniądze? Mimo porządnego plastycznego wykształcenia i świetnej znajomości softu** jakoś nigdy niczego nie wygrywał. I jeszcze zaczął wybrzydzać na przynoszone mu w zębach koncepcje. Jedna była dla niego za mało pojechana. Druga zbyt pracochłonna. Trzeciej jakoś nie czuł. Generalnie chłopak czuł wyłącznie rzeczy maksymalnie wyjebane w kosmos i totalnie niesprzedawalne. I najlepiej, żeby nie wymagały zbyt wiele dłubaniny. Żadnego szparowania***. Żadnych montaży zdjęciowych. Słowem – artysta bezkompromisowy.

---

*   THC – tetrahydrokannabinol, substancja aktywna zawarta w konopiach indyjskich.

**   Soft – skrót od angielskiego *software*, oprogramowanie.

*** Szparowanie – w projektowaniu graficznym wycinanie przedmiotów z tła.

Kiedy próbowałem przypomnieć sobie, co takiego spłodził od czasu mojego pojawienia się w firmie, to naprawdę niewiele przychodziło mi do głowy. Skazane na pożarcie rekiny to raz. Sklepowy stand na tampony Bella Donny to dwa. (Ten stand, trzeba uczciwie przyznać, wyszedł mu całkiem spoko. Czerwona pleksiglasowa łódka. W dnie łódki otwory. Setki otworów. A w otwory powtykane tampony. Na burtach duże logotypy klienta. Plus moje „Wszystko ujdzie ci na sucho". W sklepach robiło to wrażenie.) Projekt strony internetowej naszej agencji to trzy. Wciąż rozgrzebany. Wciąż napotykający jakieś arcypoważne problemy natury technicznej. Dziś każde dziecko wiedziałoby, że wydumane, ale w 2002 roku nikt tego za bardzo nie kumał. Rzadko kto miał wtedy w portfolio jakiś internet. A Mieszko jakiś miał, więc mógł nam wcisnąć dowolny kit.

Szczerze mówiąc, sam się na Mieszka trochę nakręcałem. Nawet więcej niż trochę. Więc prędzej czy później musiało dojść do spięcia. Doszło prędzej. Poszło o mój pomysł połączenia urządzeń sanitarnych w łazienkowy internet.

– No nie wiem, jakoś nie czuję tej koncepcji – zaserwował mi swoją starą śpiewkę. – Jak dla mnie, jest za mało pojechana. Bez efektu łał. Za to megapracochłonna. Od pyty skomplikowanych montaży. I tyle szparowania...

– OK – wycedziłem przez zaciśnięte zęby. Na tyle głośno, żeby usłyszeli wszyscy, łącznie ze stojącym obok Bernardem. – To może dla odmiany teraz ty wymyślisz jakąś koncepcję? Wiesz, taką bardziej pojechaną i mniej pracochłonną. Bez montaży i szparowania. Bo po co sobie rączki brudzić? I wiesz co, stary? Jak ten pomysł będzie twój, to jest cień szansy, że go poczujesz. A wtedy, kto wie, może nawet coś wygra. I co ty na to? Pasuje ci taki układ? No to masz tu brief. A ja czekam u siebie. Jak będziesz gotów z tą koncepcją, to wal do mnie jak w dym. Na cito dopiszę ci jakieś fajne hasło. I obiecuję, że cokolwiek wymyślisz, nie będę wybrzydzał. Bo po prostu nie mam na to czasu. Wiesz, w agencji jest teraz w chuj roboty i takie tam...

Mieszko zbaraniał i zamilkł. Podobnie jak wszyscy inni. Helga, Marley, Kot, Bernard i łysy Greg, który akurat zajrzał po coś z góry. Przeciągali tę ciszę niepokojąco długo. Najszybciej ze zbiorowego stuporu otrząsnął się Bernard. W końcu prezes. Zawsze pierwszy. Poprosił mnie o streszczenie spornej koncepcji. I kazał wysłać ją do Alfa. Ten po tradycyjnych trzech dniach myślenia bez dotykania komputera machnął do niej dokładnie takie projekty, jakich się spodziewałem. Zwycięskie. I to bez żadnych montaży.

Parę dni po ogłoszeniu wyników łazienkowego przetargu Bernard zarządził walne zebranie. W mailu do całej załogi napisał, że chce z nami porozmawiać o usprawnieniu pracy w agencji. Ze szczególnym uwzględnieniem działu kreacji. Czyżby zaczynała się wieszczona przez Kota rewolucja?

***

O wyznaczonej godzinie w sali konferencyjnej był prawie komplet. Prawie, bo brakowało Bernarda. Podobno od rana siedział zamknięty w swoim gabinecie. Sam? Nie sam? Niestety, nie dało się tego zweryfikować przez nasłuch, bo kibelek na dole był od paru dni zamknięty na głucho. Awaria spłuczki. Potrzebny hydraulik.

Prezesa ciągle nie było. Pięć minut spóźnienia. Dziesięć. Piętnaście. Wreszcie się pojawił. Stanął u szczytu stołu konferencyjnego i przebiegł wzrokiem po naszych twarzach. Zapadła cisza. W napięciu czekaliśmy na exposé.

– Panie i panowie – Bernard prawie zawsze zaczynał od familiarnego „moi drodzy". Tym razem ewidentnie chciał zachować dystans. – Sporo ostatnio myślałem o organizacji pracy w naszej agencji. I doszedłem do wniosku, że czas na zmiany. Zwłaszcza w dziale kreacji.

Na chwilę przerwał. Może budował dramaturgię. A może po prostu szukał w głowie właściwych słów.

– Od początku istnienia tej firmy dawałem kreacji wolną rękę – zwrócił się do lewej strony stołu, którą okupowaliśmy. – Nie chciałem tłamsić was sztywnymi procedurami. Wierzyłem, że nie trzeba stać nad wami z batem. Że w demokratycznej atmosferze zafunkcjonujecie najlepiej. Że będziecie się między sobą dogadywać i dzielić pracą tak, żeby wszyscy byli obciążeni mniej więcej po równo...

– A może by tak do brzegu, co? Bo tak się składa, że nie mam całego dnia – przerwała mu z właściwą sobie gracją Helga. – Bank Godny Zaufania sam się na jutro nie zrobi.

– I dobrze, bo wcale nie musi – odparł chłodno Bernard. – Umówiłem się już z klientem na późniejszy termin. Czasu masz mnóstwo. A teraz najważniejsze powinno być dla ciebie to, co dzieje się w tej sali. Więc bądź łaskawa skupić się właśnie na tym, dobrze?

Helga poczerwieniała jak burak. Ćwikłowy. Przez chwilę na jej twarzy malowała się szczera chęć mordu. W końcu to ona była tu od publicznego besztania ludzi.

– No więc, jak już mówiłem, kiedy mi przerwano – kontynuował prezes – bardzo wierzyłem w demokrację w kreacji. Zwłaszcza że dość długo się sprawdzała. Ale ostatnio przestała. Stałych zleceń i przetargów przybywa, tymczasem niektórzy z was zupełnie nie angażują się ani w jedno, ani w drugie. I całą robotę zrzucają na innych. A ci inni są coraz bardziej przeciążeni. I atmosfera w waszym dziale się pogarsza. Już pojawiły się pierwsze zgrzyty. A boję się, że będzie ich więcej, że ucierpi na tym jakość waszej pracy. I że coś zawalicie. I to coś ważnego. A do tego nie mogę dopuścić. Właśnie dlatego zdecydowałem się na rewolucję w kreacji.

Znów przerwał. Pojęcie suspensu ewidentnie nie było mu obce. Wykorzystując krótki moment przestoju w skądinąd wartkiej akcji, Kot spojrzał na mnie i rozłożył ręce w wymownym geście pod tytułem „a nie mówiłem?".

– Od teraz waszą pracą kierować będzie dyrektor kreatywny – ciągnął Bernard. Ale już nie na stojąco. Teraz przechadzał się tam i z powrotem za naszymi plecami. Jakaś nowa socjotechnika? Podobno sporo ostatnio czytał na ten temat. – I dam mu w tym całkowicie wolną rękę. Teraz to on będzie rozdzielał zadania. To on zajmie się weryfikacją i selekcją waszych pomysłów. On będzie nadzorował każde stałe zlecenie i każdy przetarg. On będzie rozsądzał wasze spory. I on po pewnym czasie oceni każdego z was. I wyciągnie konsekwencje. Czy to jest jasne?

– Jak słońce, prezesie man – odpowiedział z uśmiechem Marley. On wszystko brał za dobrą monetę.

– No to bez zbędnych ceregieli przedstawiam wam człowieka, któremu postanowiłem powierzyć dział kreacji...

Prezes znów zawiesił głos. W dawkowaniu napięcia nie był wcale gorszy od Hitchcocka. Kątem oka dostrzegłem, jak Kot pręży się na swoim krześle, gotów do skoku po chwałę i zaszczyty. Tymczasem Bernard podszedł do drzwi, otworzył je szeroko i zaanonsował stojącą za nimi osobę:

– Panie i panowie, oto żywa ikona polskiej reklamy. Legenda z Legendarnej. Człowiek mający w portfolio prawie setkę spotów telewizyjnych. Bez wyjątku dobrych. Najbardziej utytułowany dyrektor kreatywny w tym kraju. Zdobywca kilkudziesięciu nagród branżowych. Także zagranicznych. Jarosławie, zapraszam cię tu do nas.

Facet, który wszedł do sali konferencyjnej, nie miał ani długich włosów, ani brody. Wręcz przeciwnie, jego twarz i czaszka były starannie wygolone. Zamiast kosztownego uniformu kloszarda miał na sobie mnisi habit, biały, ze spiczastym kapturem. A jednak poznałem go od razu. To z całą pewnością był Jaro. Ten Jaro. Wersja 2.0.

Jaro 2.0 przywitał się z nami, zdradzając przy tym doskonałą znajomość naszych imion i nazwisk. Profesjonalista. Przygotowany do występu. Potem wytłumaczył nam swój niecodzienny strój. Że dla niego teraz codzienny. Że autentyczny, mnisi. Żadna tam wyjebana, bluźniercza stylizacja. Bo on ostatnie pół roku spędził w klasztorze. U alienatów. Właśnie zakończył nowicjat. Może składać śluby, takie poważne, zakonne. Ale jeszcze się waha. Jeszcze nie jest pewien, czy ma służyć Bogu, czy raczej ludziom, znaczy konsumentom. I chce to sprawdzić właśnie tu, u Bernarda. Na ostateczną decyzję daje sobie trzy miesiące. Zanim ochłonęliśmy, oznajmił, że teraz sobie pójdzie, ale jutro wróci i zabierzemy się do pracy.

***

Premierowy dzień swojego urzędowania u Bernarda dyrektor Jaro poświęcił na indywidualne rozmowy z nowymi podwładnymi. Intuicja podpowiadała mi, że to ja pójdę na pierwszy ogień. I poszedłem. Do pokoju cycatej Marty, która tymczasowo przeniosła się do producenta Mariusza. Kiedy usiadłem naprzeciwko, Jaro długo milczał. Krępująco długo. Ni z tego, ni z owego wstał i zaczął klaskać. Coraz głośniej i głośniej. Normalnie standing ovation.

– Brawo – odezwał się wreszcie z kamienną twarzą. – Ten cały Mesjasz to prawdziwy majstersztyk koncepcji. W dodatku perfekcyjnie zrealizowany. I to w najbardziej niewdzięcznym kanale komunikacyjnym. Bo za taki uważam życie. Jeszcze raz brawo!

Sarkazm? Szczery podziw? Na dwoje babka wróżyła.

– Rozumiem, że mam zacząć pakować swoje rzeczy? – Przeczucie podpowiadało mi, że nowy dyrektor kreatywny chłoszcze mnie jednak biczem ironii.

– Pudło! – Jaro uśmiechnął się, a ja nie po raz pierwszy przekonałem się, że moje przeczucia są gówno warte. – Dostajesz podwyżkę. Przeglądałem dziś rano listę płac działu kreacji. I chcę wprowadzić pewne zmiany. Jesteś copywriterem tak jak Kot. A u mnie ludzie na analogicznych stanowiskach zawsze zarabiają analogiczne pieniądze. Tak jest zdrowiej. Bo nie ma zawiści i knucia. I wszyscy koncentrują się w stu procentach na robocie. Od przyszłego miesiąca masz cztery tysiące na rękę.

– Dziękuję – wykrztusiłem szczerze zaskoczony. – Czy to znaczy, że nie żywisz urazy?

– Oj, nie bądźmy małostkowi. To takie mieszczańskie... – Spojrzał mi prosto w oczy. – Lepiej w ogóle nie roztrząsajmy frapującego tematu naszej osobliwej znajomości. Zwłaszcza publicznie. Rozumiemy się?

– Jak bliźniaki jednojajowe – zapewniłem go pospiesznie.

– A jaką wersję tej historii sprzedałeś Bernardowi?

– Najbezpieczniejszą. I dla ciebie, i dla mnie. Potrzebowałem w Legendarnej nowego copywritera. Więc zrobiłem casting. Ty go wygrałeś. Niestety nie mogłem cię zatrudnić. Bo wcześniej sam musiałem odejść. Z powodów osobistych. Ale ponieważ wiedziałem, że masz potencjał, postanowiłem zainstalować cię u niego. Czułem, że będzie miał z ciebie pociechę. No i ma.

– Skąd ta pewność?

– Nie jestem ślepy. Dziś rano poza listą płac przeglądałem też wasze archiwum. Wygląda na to, że tylko wy z Kotem macie tu jakiekolwiek pomysły. ATL ciągniecie Bernardowi praktycznie we dwóch. Zgodzisz się z taką tezą?

– Nie do końca. Bo i Alf sporo wnosi.

– Jego nie liczę. Jest z zewnątrz. A ja nie pracuję z freelancerami. Bo to loteria. Nigdy nie ma pewności, czy wyrobią się w terminie. I czy się przyłożą. No i czy aby nie przehandlują naszych koncepcji konkurencji. Krótko mówiąc, nie chcę tu widzieć nikogo spoza rodziny.

– Podejście cokolwiek mafijne. Ale przecież nawet rodzina Corleone miała zewnętrznych cyngli. Takiego na przykład Lucę Brasiego – od niechcenia błysnąłem znajomością literatury popularnej.

– Sam wiesz, że ten ich Luca kiepsko skończył. Waszego też niniejszym eliminuję.

– OK, don Jaro – uznałem, że wypada trzymać się konwencji. – Żegnamy się z Alfem. No to mam pytanie. Kto w takim razie będzie projektował ATL? Bo jak zdążyłeś się pewnie zorientować, Helga i Mieszko nie za bardzo się do tego nadają.

– I tak, drogi consigliere*, krok po kroku dochodzimy do mojego planu reorganizacji...

– Zamieniam się w słuch.

– Otóż dzielę kreację na trzy mniejsze działy. Pierwszy zajmuje się tylko ATL-em i przetargami. To ja, ty i Kot. Razem wymyślamy koncepcje. Potem wy piszecie, co macie napisać. A ja robię obrazki. Czyli wiesz już, kto zastąpi świętej pamięci Lucę. Drugi dział jest odpowiedzialny za stałe zlecenia BTL-owe. Helga projektuje. Ale już nie musi zawracać sobie głowy łamaniem tekstów i podobnymi pierdołami. Bo Zbig i Greg ją w tym wyręczają. Tak będzie o wiele szybciej. Marley robi to, co robił. Tu bez zmian. A nad treściami pracuje nowy copywriter. Rekrutacja już trwa. Bernard od kilku dni spotyka się z kandydatami na mieście. Trzeci dział jest jednoosobowy i stricte internetowy. Strony WWW, kampanie w sieci. Klienci pakują w takie rzeczy coraz więcej pieniędzy. Więc wychodzimy tym pieniądzom naprzeciw. A przy okazji sprawdzamy Mieszka. Chłopak podobno wymiata we Flashu. Zna też HTML. No i ma pojęcie o CMS-ach**. Niech wreszcie na siebie zarobi.

– Święte słowa. Bo jak dotąd strasznie się tu opierdalał.

– Uważaj na słowa – pogroził mi palcem Jaro. – Pamiętaj, że rozmawiasz z osobą prawie duchowną.

---

* Consigliere – prawa ręka i główny doradca szefa rodziny mafijnej.

** CMS (ang. *content management system*) – system zarządzania treścią, oprogramowanie ułatwiające tworzenie i aktualizację serwisów internetowych.

– „Prawie" robi wielką różnicę.

– Przypadkiem lub nie wyszło ci całkiem zgrabne hasło. Można je gdzieś wykorzystać. – Nawet w habicie Jaro pozostawał zwierzęciem reklamowym. – No cóż, z mojej strony to na razie wszystko. Dzięki za spotkanie. Poproś tu teraz Kota, dobrze?

Kot wyszedł już po kwadransie. Promieniał. Perspektywa zakończenia gazetkowo-folderowej pańszczyzny wyraźnie go uradowała. Podobnie jak możliwość pracy w teamie z najlepszym kreatywnym nad Wisłą.

Następny w kolejce był Marley. On też wyszedł cały zadowolony. Z tym że akurat u niego taki stan mógł mieć niewiele wspólnego z odbytą właśnie rozmową. Ten chłopak tryskał humorem niezależnie od okoliczności. Kolejny skutek uboczny THC, jak utrzymywał Kot.

Po Marleyu Jaro zawezwał Helgę. Wychodziła z miną cokolwiek niewyraźną. Widać było, że jej mózg zawzięcie bilansuje plusy i minusy reorganizacji. No bo z jednej strony nie trzeba już będzie przeżywać tych wszystkich ATL-owych koszmarów. Tego udawania, że ma się jakieś pomysły, kiedy zupełnie się ich nie ma. Tego upokarzającego wymawiania się brakiem odpowiednich, mieszczących się w budżecie zdjęć. Od teraz nic, tylko stary, dobry BTL. Niby żmudny, pracochłonny, ale za to stuprocentowo bezpieczny. Z drugiej strony jednak w życiu Helgi miała pojawić się zupełnie nowa, obca osoba – werbowany właśnie copywriter. A Helga nie lubiła obcych. Ledwie zdążyła się pogodzić z moją skromną obecnością, ledwie przełknęła świeżego, jeszcze cieplutkiego dyrektora, a tu jebut, kolejny intruz na horyzoncie. Stanowczo za dużo zmian. Zwłaszcza dla kogoś w jej wieku. Starych drzew, na Boga, się nie przesadza.

Jako ostatni na audiencję wszedł Mieszko. Siedział dość długo. Dyskusja musiała być burzliwa, bo po wyjściu zaklął siarczyście i kopniakiem wywrócił kosz na śmieci. A miałem go za pacyfistę.

– Wszystko OK, chłopaku? – zapytał empatycznie Kot, który razem ze mną czatował pod drzwiami na miny kolejnych rozmówców dyrektora.

– Jest kurewsko daleko od OK! – w odpowiedzi Mieszko pojechał swoim ulubionym Tarantino, artystą równie bezkompromisowym jak on sam. Tyle że o niebo płodniejszym.

– Aż tak źle? – indagował troskliwie Kot.

– Zamiast OK jest KO. – Ta żonglerka akronimami była pierwszym od pół roku dowodem na kreatywność Mieszka. Ach ten Jaro! Od ręki potrafił wykrzesać z człowieka iskierkę talentu.

– A powiesz mi, co cię tak rozwaliło? – drążył Kot tonem nadopiekuńczej matki. – Ta reorganizacja?

– Nie, kurwa, rozpad Spice Girls! – Mieszkowi coraz bardziej puszczały nerwy. – Pewnie, że reorganizacja! Kogoś tu ostro pojebało! Dział internetowy?! Ja?! Koleś po ASP?! Z piątką na dyplomie?! I jeszcze wyrzuca się mnie, kurwa, na górę, do DTP?!

– Popatrz na to z innej strony... – wtrąciłem swoje trzy grosze. Czułem, jak ironia zaczyna kapać mi z ust na buty. On też to czuł. Ale miałem to w dupie. Jakoś nigdy nie potrafiłem zdobyć się na empatię wobec ludzi uporczywie unikających autorefleksji. – Przynajmniej nikt ci teraz nie będzie zawracał głowy durnymi przetargami. Pomyśl, stary, zero pracochłonnych koncepcji, zero montaży, zero szparowania.

Wreszcie będziesz miał czas, żeby spokojnie dokończyć naszą stronę internetową.

– Spierdalaj! – Mieszko z pasją zsyntetyzował buzujące w nim emocje. Gdyby tyle samo uczucia wkładał w swoje projekty, na pewno nie skończyłby na zesłaniu u Zbiga i Grega. – To zresztą twoja wina! Gdybyś nie odstawiał szopek przed Bernardem, to wszystko byłoby po staremu!

– Czyli nadal jakiś jeleń odwalałby za ciebie robotę? – postanowiłem upewnić się, czy chodzi nam o to samo „po staremu".

– Wal się! – warknął Mieszko, rezygnując tym samym z merytorycznej dyskusji. Następnie wymierzył brutalnego kopniaka raz już znokautowanemu koszowi na śmieci. Co za brak solidarności. Leżący leżącego? – Więcej z tobą nie gadam! – rzucił jeszcze na odchodnym.

Cóż, mówi się trudno. I tak nie mieliśmy zbyt wielu wspólnych tematów.

RUNDA CZWARTA

Bernard zaakceptował wszystkie zmiany zaproponowane przez dyrektora kreatywnego. Ale nie wszystkie zaakceptowali klienci. Panie z Top Mediki na przykład nie chciały słyszeć o nowej osobie piszącej do ich gazetki. Stanowczo żądały pana Kota i pana Artura. Tylko do nich miały zaufanie. Tylko przy nich czuły się bezpieczne. Tylko z nimi znajdowały wspólny język. Nie powiem, było to dla nas pewnym zaskoczeniem, zwłaszcza że do tej pory owe panie konsekwentnie masakrowały nasze teksty. No bo czy to nie wszystko jedno, komu psuje się robotę?

Z gazetki Top Mediki nie udało nam się więc wymiksować. Ale i tak było pięknie. Zwolnieni z Banku Godnego Zaufania i Taniego Dyskontu Spożywczego, czuliśmy się z Kotem jak chorzy na raka pobłogosławieni niespodziewaną remisją.

Jako copywritera do działu BTL Bernard zatrudnił dziewczynę. Bardzo młodą. Jeszcze nieskalaną branżowym Babilonem. Ze świeżo wydanym tomikiem poezji na koncie. Nazywała się Biała. To znaczy nazywała się Zuzanna. Ale prosiła, żeby mówić na nią Biała. Zresztą mówilibyśmy tak i bez proszenia. Bo laska miała na głowie ufarbowanego na siwo punkowego sidecuta. A do tego na każdym kroku powtarzała, że jak wiersz, to tylko biały. Że rymy są do dupy. Dobre dla dzieci. I że gdyby ona kiedykolwiek zaczęła rymować, to mamy natychmiast dzwonić po karetkę. Kupiłem nawet ten jej tomik. *Statua nicości*. Przeczytałem. Idealnie trafiła z tytułem.

Dyrektor Jaro kręcił nosem na tę Białą. Twierdził, że jej pióro jest zbyt lekkie, żeby podołać ciężkiej pracy w BTL-u. Mówił też, że przy kurczakach z Taniego Dyskontu panna szybko zniesie jajko. On sam rekomendował na to stanowisko sprawnego rzemieślnika z doświadczeniem w gazetkach ofertowych. Ale Bernard się uparł. Nic, tylko Biała i Biała. Zabujał nam się prezes czy jak? Nie można było tego wykluczyć, bo dziewczyna miała pewien awangardowy urok. Postanowiłem przy okazji zweryfikować tę mezaliansową hipotezę niezawodną metodą nasłuchu. Kibelek sąsiadujący z gabinetem Bernarda był już czynny.

Mieszko chodził z kwaśną miną. Dostał klarowne ultimatum: albo strona agencji będzie gotowa w ciągu dwóch tygodni, albo adios, amigo. Oczywiście wyrobił się bez problemu. A strona naprawdę trzymała poziom. Czysty, minimalistyczny layout obroniłby się nawet dziś. Żadnych nieuzasadnionych bytów. Tylko pięć niezbędnych podstron, w tym ta najniezbędniejsza – Zespół.

Jeżeli ktoś chce dowiedzieć się czegoś naprawdę istotnego o agencji reklamowej, wędrówkę po jej stronie powinien zacząć od prezentacji zespołu. A już szczególnie uważnie wczytać się w to, co o sobie ma do powiedzenia kreacja. Jeśli pisze wprost, że jest kreatywna, to prawie na pewno nie jest. To tak, jakby dzisiejszy hipster przyznał otwarcie, że jest hipsterem.

Nie do pomyślenia! Totalny obciach! Towarzyskie samobójstwo! Stygmat na wieki wieków! Żaden szanujący się hipster nie popełni takiego faux pas. Podobnie jak żaden kreatywny nie powie, że jest kreatywny. A jeśli tak powie, to nie jest.

Podstrona Zespół pozwala też zorientować się, czy w danej agencji pierwsze skrzypce gra kreacja, czy państwo szykowni, czyli ekanci. Bo to jednak subtelna różnica. Choć nie zawsze akurat dla klienta... Czasem z podstrony o zespole można wydedukować, kto kogo lubi, a kto kogo nie. I komu z kim po drodze. A nawet kto z kim sypia. I za czyimi plecami. Prawdziwa kopalnia rzetelnej wiedzy.

Wiele osób przecenia natomiast znaczenie podstrony Portfolio. A zupełnie nie warto się nią podniecać. Przedstawia prace zaakceptowane przez klientów, a one najczęściej są wynikiem zgniłych kompromisów zawieranych w imię upływającego deadline'u z niestrudzonymi poszukiwaczkami dziury w całym, produkowanymi taśmowo przez mnożące się jak grzyby po deszczu wciąż wyższe i wyższe szkoły marketingu. Bywa, że portfolio agencji więcej mówi o jej klientach niż o pracownikach.

Firma Bernarda nie stanowiła wyjątku. Jej najuczciwszą wizytówką była podstrona Zespół. Każdy z nas opisał tam sam siebie jednym zgrabnym bon motem zamieszczonym pod fotką. Naprawdę mocny zestaw. Zrobiłem sobie z niego screenshota. Tak na wszelki wypadek. Gdyby kiedyś wybiła godzina nostalgii.

***

Strona agencji Bernarda. Podstrona Zespół. Aktualizacja z listopada 2002.

Dział obsługi klienta

Bernard, prezes: „Klient nasz pan. Lub pani".

Marta, account manager: „Kompetencje większe niż biust. A biust niemały".

Dział kreacji ATL-owej:

Jarosław, dyrektor kreatywny, art director: „Nie będziesz miał bogów cudzych przede mną".

Kot, copywriter, konceptualista: „Robię dobrze językiem. Polskim".

Artur, copywriter, konceptualista: „Gdyby moje słowo ciałem się stało, trafiłoby na okładkę Playboya".

Dział kreacji BTL-owej:

Helga, art director: „Bój się ryczącej czterdziestki!"

Marley, ilustrator: „Aloha, człowieku man!"

Biała, copywriter: „Piszę, więc jestem. Wypłacalna".

Studio DTP:

Zbig i Greg, operatorzy DTP: „Poważni ludzie w niepoważnej branży".

Dział kreacji internetowej:

Mieszko, web designer: „Artysta na wygnaniu".

Dział produkcji:

Mariusz, producent: „Wydrukuję wszystko. Oprócz meczu".

***

Reorganizacja reorganizacją, strona stroną, a jakoś w tym samym czasie narodziła nam się w agencji nowa świecka tradycja. Tłuste Czwartki. Otóż w te właśnie dni pod koniec pracy kwiat naszej załogi zbierał się na górze, u Zbiga i Grega. Gospodarze raczyli nas wyszperanymi w sieci białymi krukami wyuzdanej pornografii z udziałem ekstremalnie spasionych bab. W programie raz był anal, raz onania, raz bukkake. Kiedy indziej znów wzmacniająca team spirit huczna lateksowa orgietka z kulkowym kneblem i skórzanymi pejczami. Zbig i Greg chronili nas przed monotonią. Z czasem liturgia Tłustych Czwartków wzbogaciła się o tęgiego jointa puszczanego wśród miłośników alternatywnych form piękna zebranych przed monitorem. Spowici kłębami dymu, stymulowani rytmicznym pojękiwaniem szczytujących grubasek, byliśmy jak jakieś pierwotne plemię odprawiające sobie tylko znany, mistyczny rytuał. Brodaty szaman (Zbig lub Greg) za pomocą obrazów aktywowanych magiczną białą myszką Apple'a wprowadzał nas w ekstatyczny trans i wiódł ku czemuś na kształt duchowego oczyszczenia. Duże słowa, ale niech tam! Na krótką chwilę opuszczaliśmy spracowane ciała grafików, copywriterów, DTP-owców oraz ekantów. Stawaliśmy się po prostu ludźmi. Wolnymi. Od ASAP-owej nerwicy, deadline'ów, targetów i mediaplanów.

Tłuste Czwartki świętowaliśmy w szerokim, wcale nie jednopłciowym gronie. Bo do mnie, Kota, Marleya, Zbiga i Grega szybko dołączyła cycata Marta. Nie robiła tego dla przyjemności. Skąd! Po prostu chciała się dowiedzieć, ile będzie mogła dostać od życia, będąc już obleśną, grubą babą. No i okazało się, że całkiem sporo.

Po kilku tygodniach ekipa powiększyła się o Helgę. Nie-spodziewanie, bo kto mógł przypuszczać, że ta rozmiło-wana w dyscyplinie i porządku pragmatyczna kobieta weźmie udział w tak niekonstruktywnej i szczeniackiej samowolce, w dodatku w przenajświętszych godzinach pracy i z jawnym pogwałceniem przepisów BHP. Tymcza-sem Helga nie tylko wpadała na górę, ale raz nawet przy-targała glinianą replikę penisa jednego z kultowych aktorów kina frykcyjnej akcji, znanego jako Rocco Siffre-di. Utoczyła tę wielką kuśkę na kursie garncarstwa, który polecił jej terapeuta od gniewu. Żeby się trochę wyciszyła. Wyciszenie wyszło jej tak sobie, za to gliniany penis – zna-komicie. Z miejsca stał się naszym totemem.

Biała zajrzała na Tłusty Czwartek tylko raz. Trafiła aku-rat na ostre sado-maso z elementami fekalnymi. Widziałem, że z trudem powstrzymuje odruchy wymiotne. Wyszła w połowie projekcji. Cóż, nie każdy poeta jest w stanie wy-trzymać czołowe zderzenie z wulgarną prozą życia.

Producent Mariusz o Tłustych Czwartkach chyba nawet nie wiedział. Może dlatego, że był od nas sporo starszy i nikt nie chciał wyjść przy nim na gówniarza. Może dlatego, że był od nas wszystkich dużo wyższy i każdy czuł się przy nim jak wyprodukowany w innej skali. A może dlatego, że żył wyłącznie poligrafią, o której mieliśmy bardzo blade poję-cie. Przy kimś, kto wie, co to raster stochastyczny, ktoś, kto tego nie wie, może przecież łatwo wyjść na głupka.

Również Mieszko nie zaszczycił swoją obecnością ani jed-nego Tłustego Czwartku, mimo że jego biurko stało najwy-żej pięć metrów od blatów Zbiga i Grega. Widząc naszą spragnioną mocnych wrażeń ekipę wdrapującą się na górę, natychmiast ruszał w przeciwnym kierunku. Że niby musi już iść. Ma dentystę. Fryzjera. Migrenę. Wszyscy wiedzieli, że to gówno prawda. Że chodzi o mnie. Chłopak ewidentnie mnie unikał. Obwiniał mnie o wszystkie agencyjne roszady. Chociaż akurat jemu wyszły one na dobre. Bo zaczął być wreszcie doceniany. Więc na logikę powinien być mi wdzięczny. A był wrogi. Nie powiem, żeby mi to przeszkadzało. Przeciwnie, wrogość Mieszka spadła mi jak z nieba. Gdyby nie ona, musiałbym postarać się o jakąś inną. Bo w agencji reklamowej nie można mieć samych przyjaciół. Powszechna życzliwość rozleniwia. Usypia czujność. Sprawia, że spoczywamy na laurach. Dlatego potrzebny jest wróg. Chociaż jeden. Bo nic nie motywuje tak jak on. Świadomość, że czyha w pobliżu, by przy pierwszej sposobności z rozkoszą wbić nam nóż w plecy, utrzymuje nas w stanie gotowości. Na wszystko. Nasze zmysły są stale wyostrzone, nasza koncentracja nieustanna. Wiemy, że w każdym momencie musimy dawać z siebie maksa, bo każde nasze zaniedbanie zostanie natychmiast zauważone i nagłośnione. Przez osobistego wroga oczywiście. W rezultacie jesteśmy efektywni jak jasna cholera. I sukces goni sukces. A kiedy ktoś pyta, jakim cudem dokonujemy tych niesamowitych rzeczy, zwalamy wszystko na talent i ciężką pracę. Kluczową rolę wroga konsekwentnie przemilczamy. Żeby nie miał, cham, nawet cienia satysfakcji. W końcu to wróg. Więc niech spierdala.

***

Dyrektor Jaro wprowadził się do naszej copywriterskiej klitki. Powiedział, że chce być jak najbliżej swoich ludzi. I jak najwięcej z nimi, to znaczy z nami, rozmawiać. O wszystkim. Jaro był zdania, że aby stworzyć skuteczny zespół, musimy się najpierw przed sobą nawzajem pootwierać. Najlepiej na oścież. Że tylko definitywne przełamanie bariery wstydu umożliwi nam swobodne artykułowanie rodzących się w naszych łepetynach pomysłów. Nawet tych absolutnie szalonych. Zwłaszcza tych. Bo w naszej branży, przekonywał, to właśnie w szaleństwie jest metoda. I tylko dzięki wspólnie przeżywanym chwilom obłędu możemy stać się obłędnym teamem kreatywnym. Takim, co regularnie kosi różne Orły i Strzały. No a my z Kotem o niczym innym nie marzyliśmy. Bo za tymi wszystkimi Orłami i Strzałami mogły przecież kryć się jakieś fajne fury i lofty. Więc nawijaliśmy o sobie, ile wlezie. A Jaro wciąż pytał i pytał. Poezja czy proza? Diesel czy benzyna? Chłopcy czy dziewczęta? Lewica czy prawica? Real czy Barcelona?

On też mówił o sobie dużo i chętnie. Dowiedzieliśmy się na przykład, że za pracę z nami nie bierze pieniędzy. Owszem, Bernard mu płaci. I to jak za zboże. Ale on, Jaro, wszystko przekazuje swoim alienatom. Na remont kaplicy. Za te jego trzy miesiące w agencji klasztor dostanie trzydzieści sześć kółek. Okrągłych, jak to kółka. Tej kasy wystarczy może na nowe stoły i krzesła do refektarza. Bo na stare to już przykro patrzeć.

O furach i loftach też opowiadał, a jakże. Że on ma. Apartament z widokiem na Łazienki. Dwupoziomowy. Wystylizowany, rzecz jasna, na loft. Z podziemnym garażem. A w garażu porsche 911 turbo. Rocznik 1986. Kolekcjonerski. Silnik 3,2 litra. Dwieście osiemdziesiąt dwa rącze kucyki. Czarna jak smoła karoseria. Z białymi wyścigowymi pasami na masce. I na dachu też. Cholera, klimaty zupełnie jak u Boba w filmie. Tyle że prawdziwe, namacalne. I to na zachodnim wybrzeżu Wisły. A nie na wschodnim Stanów. Czyli Polak też potrafi! Swoje luksusy Jaro opisywał jednak z pewnym zażenowaniem. Mówił, że trzeba chyba na głowę upaść, żeby walnąć sobie takie sto metrów kwadratowych, jak człowiek jest singlem. I nigdy w domu nie bywa. A nawet gdyby bywał, to wystarczyłoby mu przecież dziesięć razy mniej. Przekonał się o tym w klasztorze, gdzie był szczęśliwy jak nigdy. Pomstował nawet na swoje porsche. Że pali jak smok. Że truje jak fabryka. Że szybkie, ale dokąd to niby tak się spieszyć. I że ogólnie przerost formy nad treścią. Jeśli się przemieszczać, to tylko dzięki wysiłkowi własnych mięśni. Bo przebytą drogę trzeba poczuć. Żeby podróż stała się realnym doznaniem. Więc on od jakiegoś czasu to już tylko pieszo lub rowerem. Raczej rowerem. Bo lubi. A co do fur i loftów, to on nas oczywiście do niczego nie zamierza przekonywać, bo sam niczego na sto procent nie jest pewien. Ale że skłania ku tezie, że jednak lepiej być, niż mieć. Bo sam i jest, i ma, więc może sobie porównać.

***

Nie da się ukryć, że od naszego spotkania w Legendarnej trochę się w Jarosławie pozmieniało. Zwłaszcza język bardzo mu wydoroślał. Już nie przypominał gadki jadącego na dopalaczach młodocianego zagajacza z MTV. Przerywnik „chłopaku" już nie rozszarpywał na pół każdego jego zdania. Nagle i my z Kotem trochę zbastowaliśmy z tym całym chłopakowaniem. Wydało nam się jakieś takie infantylne.

111

Jedno natomiast nie zmieniło się w Jarosławie zupełnie. Nadal znał się na robocie. Jak nikt. Pokazał to przy pierwszym wspólnym przetargu. Na kampanię billboardową Bilo-Bestu, preparatu Top Mediki. Dla seniorów. Przez duże es. Na pamięć i koncentrację. Cel: wzrost popularności produktu wśród starszych pań. Bo z sędziwymi panami klient nie miał problemu. Ponoć żarli lek garściami.

Jaro pracował po swojemu, nie do końca podręcznikowo. Po raz pierwszy zaskoczył nas odpowiedzią na grzecznościowe pytanie, czy wydrukować mu brief od klienta.

– Szkoda drzew – oznajmił stanowczo. – No bo niby czego nowego można się dowiedzieć z briefu?

– Czegoś o grupie docelowej? – zaryzykowałem.

– A jakich informacji ci brakuje? Własnej babci nie odwiedzasz?!

– No odwiedzam od czasu do czasu...

– No to grupę docelową masz prześwietloną. Co jeszcze ciekawego chcecie znaleźć w briefie?

– Może coś na temat konkurencji? – tym razem wyrwał się Kot.

– Coś, czego sami już o niej nie wiecie? Szczerze? Nie sądzę. Przecież oglądacie telewizję. Chodzicie po mieście. No to wiecie, że poważnego konkurenta mamy tylko jednego – ProMemorię. Reszty nigdzie nie widać, więc się nie liczy.

– No wiemy, z kim walczymy – brnął dalej Kot. – Ale nie wiemy, jaką strategię ma ten ktoś.

– Jak to jaką?! – obruszył się Jaro. – Niedorzeczną! Bo jak wiele babć po siedemdziesiątce rozwiązuje krzyżówki? No jak wiele?

– No jak wiele? – odbiłem piłeczkę.

– No niewiele! – Jaro zamknął tę wymianę pytań błyskawicznym ścięciem. – Bo oczy już nie te! Jak ktoś słabo widzi, to do krzyżówek nie siada. To żadna frajda. Nawet jak się ma superpamięć. Dlatego ostatnia kampania ProMemorii to krew w piach. Totalna porażka.

– No dobra, grupę docelową znamy z autopsji, strategię konkurencji z obserwacji – podsumowałem – ale nie powiesz chyba, że brief nie pomaga zrozumieć oczekiwań klienta?

– Ależ powiem – bezlitośnie zgasił mnie człowiek w habicie. – Bo klient ma tylko jedno i zawsze to samo oczekiwanie: że skutecznie sprzedasz jego produkt. I nie obchodzi go, jak to zrobisz.

– No, ale oni tu przecież piszą... To znaczy one tu piszą, bo to same babki... – dukałem, kartkując pospiesznie ten nieszczęsny brief. – Gdzie to było... O, mam! Piszą bardzo konkretnie. Że po wewnętrznej burzy mózgów sformułowali cztery robocze komunikaty strategiczne. Pierwszy – że dzięki BiloBestowi staruszki łatwiej zapamiętują PIN-y do kart bankomatowych. Drugi – że daty urodzin wnuków. Trzeci – że pory przyjmowania leków. A czwarty – że własny adres. I panie z Top Mediki proszą, żebyśmy rozważyli te komunikaty.

– Niech będzie, rozważmy je. Jeden po drugim. Powiedz mi, Artur, czy twoja babcia korzysta z bankomatu?

– No nie... – przyznałem bez bicia.

– A twoja? – do odpowiedzi wywołany został Kot.

– No też nie. Ona nawet nie ma karty. – Kot sprawiał wrażenie zawstydzonego bierną postawą swojej babci wobec postępujących zmian cywilizacyjnych. – Bo się boi, że zgubi. Jak chce coś wypłacić, to kuśtyka do banku. Do okienka. Też cała w stresie. I ubrana jak do kościoła.

– No właśnie! – triumfował Jaro. – Moja co prawda kartę ma, bo ją namówiłem, rok mi to zajęło, ale i tak omija bankomat z daleka. Bo mogą ją tam przecież napaść i oskubać z emerytury. Więc sami widzicie, że ten pomysł z PIN--em to, delikatnie rzecz ujmując, nieporozumienie.

– OK, a daty urodzin wnuków? – Naprawdę ciekawiło mnie, co było nie tak z tym pomysłem.

– Dla każdej babci wnuki są najważniejsze. Żadna nie zaryzykuje przegapienia ich urodzin, zdając się na własną pamięć. Nawet jeśli jedzie na wspomagaczach. Wszystkie babcie zapisują sobie takie daty. Wtedy mają spokojną głowę. Łzy ukochanych szkrabów to coś, co by je zabiło. Na miejscu. Babcine serca pękłyby na pół. Więc tak ważne daty wolą mieć na piśmie.

– To prawda – przyznał Kot. – Moja babcia ma nawet specjalny kajecik. Absolutnie oldskulowy. Chyba jeszcze sprzed wojny. I powpisywała tam wszystkie ważne urodziny. A dla pewności zaznacza je sobie jeszcze na kalendarzu ściennym. Nie, tu BiloBest rzeczywiście nie jest potrzebny. A pory przyjmowania leków? Dlaczego odrzucasz ten trop?

– Bo prowadzi na manowce – zawyrokował Jaro. – Dzisiejsze staruszki łykają masę leków. Na ciśnienie. Na stawy. Na kości. Na nerki. Na serce. No i na wątrobę, która wysiada od tych wszystkich specyfików. To prawdziwa gehenna. I koszty niemałe. W przeciwieństwie do emerytur. Naprawdę myślisz, że te kobieciny rzucą się na drogi lek, który nie pozwoli im zapomnieć o dożywotnim uzależnieniu od innych drogich leków? Myślisz, że one chcą o tym pamiętać?

– No, teraz już myślę, że nie chcą – poddał się Kot.

– A chcecie wiedzieć, dlaczego odpada zapamiętywanie własnego adresu? – Jaro uprzedził kolejne naiwne pytanie.

– Bo to upokarzające. A ludzie nie lubią być upokarzani. Zwłaszcza wiekowi. Już samo życie ich wystarczająco upokorzyło. Starością. Więc po co im jeszcze, za przeproszeniem, dowalać? Pamiętajcie, że każda reklama ma być dla konsumentek lustrem. Nasza też. I co, chcecie im w tym lustrze pokazać bezradną, skołowaną bidulkę, która nawet nie bardzo wie, gdzie mieszka? Takie zaszczute zwierzątko? Przecież te babcie poczują się z tym fatalnie! A to z pewnością nie napędzi sprzedaży żadnego preparatu.

– No to jak ugryźć taki temat? – Powoli zaczynałem wątpić, czy w ogóle da się BiloBest skutecznie zareklamować.

– Postarajcie się zrozumieć swoje babcie. – Recepta człowieka w habicie była prosta. – Popatrzcie przez chwilę na ich życie ich oczami. No, patrzycie już?

– Patrzymy – zapewniliśmy z Kotem niemal równocześnie.

– E tam, wcale nie patrzycie. Żeby spojrzeć na życie cudzymi oczami, trzeba najpierw zamknąć własne. No już, zamykajcie!

Posłusznie wykonaliśmy polecenie służbowe.

– A teraz wyobraźcie sobie, że jesteście swoimi własnymi babciami – kontynuował Jaro tonem mistrza gry RPG*. – Siedzicie w domu, bo za oknami ziąb. Pogoda niewyjściowa.

---

* RPG – rodzaj gry fabularnej opartej na narracji. Gracze wcielają się w fikcyjne postaci, a cała rozgrywka toczy się w wyobraźni grających.

115

Zupełnie jak dziś. W domu też chłodno. Kaloryfery jeszcze słabo grzeją. Początek sezonu. Marzniecie nawet w dwóch swetrach. Musicie jakoś się rozgrzać. Idziecie do kuchni. Ale noga za nogą. Pamiętajcie, jesteście staruszkami. Powoli docieracie na miejsce. Parzycie herbatę. Kwiat lipy. W dużym kubku. Dodajecie łyżeczkę miodu. I plasterek cytryny. Cieniutki. Bo cytryna teraz droga. Wracacie do pokoju. Jeszcze wolniej niż w tamtą stronę. Bo starość. Ale też żeby nie rozlać. Siadacie w fotelu. Może być bujany. Naciągacie na kolana koc. Taki ciepły, w kratę. Popijacie lipę małymi łyczkami. Bo gorąca. Pogrążacie się w myślach. A tam samotność, choroby, bezpowrotnie zmarnowane szanse. Rozważacie różaniec. Ale jest w szufladzie przy łóżku. Daleko. Więc pogrążacie się w bezmyślności. Gapicie się w ścianę. A fotel was buja. I buja. I buja... A ścienny zegar miarowo tyka. I tyka. I tyka... Nagle z dziupli w zegarze wyskakuje kukułka. I kuka. Na całe gardło. Raz. Dwa. Trzy. Cztery. Pięć. Sześć razy. Aż podskakujecie w fotelu. Od razu się ożywiacie. Osiemnasta. Chwytacie pilota. Zafoliowanego. Od lat, od nowości. Włączacie telewizor. Uśmiechacie się. Ustami, oczami, całym ciałem. Nareszcie. Będzie się działo. Od rana na to, drogie babcie, czekałyście. Dobrze, że macie tę kukułkę. Bo jeszcze byście zapomniały, przegapiły. Przecież pamięć już nie ta. A o czym to za żadne skarby nie możecie zapomnieć? Na co tak całymi dniami czekacie? Co was tak cieszy? Co was ratuje? No co, kochane babcie? No, mówcie, moje drogie! Czekam! – Jaro wystosował do nas komunikat nazywany w języku branżowym call to action.

– Na naszą telenowelę! – zgodnie odpowiedziały obie wewnętrzne babcie.

– Otóż to! – uśmiechnął się Jaro. – Otwórzcie oczy. Koniec ćwiczenia. Widzicie, udało nam się znaleźć coś, o czym starsze panie chcą pamiętać same z siebie. Bo to coś jest dla nich po prostu przyjemne. I na tym właśnie musimy zbudować całą koncepcję. Że BiloBest to dla naszych babć gwarancja, że nie przegapią ulubionego tasiemca. I że zawsze będą wiedziały, kto tam z kim i po co. Że nie pozapominają tych wszystkich brazylijskich niuansów. Wiecie, o czym mówię?

Nagle poczułem, jak powinna wyglądać ta reklama.

– To będzie teaser* – zawyrokowałem tonem nieznoszącym sprzeciwu. – W pierwszej odsłonie widzę stary lampowy telewizor. Jakiegoś rubina albo neptuna. Na cały layout. Na ekranie twarz śniadego bruneta z wąsem. Włosy zaczesane do tyłu. Pomada. Albo żel. Archetyp przystojniaka. Kolory mocno przejaskrawione. Brazylia. Na dole, tam gdzie w kinie dają napisy, my damy tekst: „Nie pamiętasz, czyim bratem jest Leoncio?". W drugiej odsłonie telewizor odsuwamy trochę dalej. Żeby był mniejszy. Tak na pół layoutu. Na dole wstawiamy packshot** z hasłem: „BiloBest ci przypomni". Co wy na to?

– A o czym tu gadać? Od razu siadam do roboty. – Jaro już odpalał Photoshopa w swoim macbooku. – Powiedzcie Marcie, żeby umawiała prezentację na pojutrze. Aha, jeszcze jedno: niech Mariusz rozbije kosztorys na billboardy i prasę. To samo, co na tablicach, damy w „Teletygodniu". Wszystkie babcie to prenumerują.

---

* Teaser – reklama zbudowana z dwóch odsłon. W pierwszej podawany jest komunikat mający przykuć uwagę konsumenta, w drugiej – komunikat właściwy związany z reklamowanym produktem.

** Packshot – zdjęcie reklamowanego produktu.

– I to już? Niczego innego nie wymyślamy? – zdziwił się Kot.

– A niby po co, skoro na zwycięski pomysł już wpadliśmy? Jeśli tylko Mariusz zmieści się w budżecie, to przetarg mamy w kieszeni. Chcesz się założyć?

***

W drodze na prezentację Bernard głośno narzekał, że wieziemy tylko jedną koncepcję. W Top Medice zadbał jednak o przychylną atmosferę, długo zachwycając się nową fryzurą brand menedżerki. Kot rzeczowo argumentował, dlaczego nie PIN, nie urodziny wnuków, nie leki i absolutnie nie adres. Ja uzasadniłem telenowelowy trop. I wytłumaczyłem ideę teasera. Reklama teaserowa była wtedy jeszcze nowinką nieufnie obwąchiwaną przez marketingowców. Na koniec cycata Marta zaproponowała dodatkowy kanał komunikacji, idealnie dopasowany do grupy docelowej. Prasę. A konkretnie „Teletydzień". Pani z Top Mediki powiedziała co prawda, że na decyzję trzeba będzie parę dni poczekać, ale nie potrafiła ukryć, że wszystko jej się podoba.

Trzy tygodnie później nasz wąsaty Leoncio wyruszył na podbój milionów serc polskich staruszek. Całymi dniami uśmiechał się do nich uwodzicielsko z wszędobylskich billboardów i z tylnej okładki ich ukochanego „Teletygodnia". Babiny nie miały żadnych szans. Sprzedaż BiloBestu podskoczyła o ponad dwadzieścia procent.

***

W pierwszym miesiącu rządów człowieka w habicie wygraliśmy cztery ATL-owe przetargi. Wszystkie, do których stawaliśmy. Co do jednego.

Zanim skończyliśmy pracę nad BiloBestem, Top Medica zaprosiła nas do konkursu na kampanię telewizyjną kolejnej swojej marki. StayCalm, ziołowy preparat uspokajający. Absolutna nowość. Cel: charakterne wejście na rynek. Z przytupem. Tak, żeby zauważyli nas i ludzie, i media. Boksowaliśmy się z tematem prawie cały tydzień. Aż wyprowadziliśmy nokautujący cios. Nasz pomysł wymagał ingerencji w mediaplan. I to nie takiej drobnej. Przekonaliśmy panie, żeby machnęły ręką na setki zabukowanych miejsc w blokach reklamowych emitowanych przez najróżniejsze stacje w ciągu wielu tygodni. Zamiast tego wykupiliśmy cały czas antenowy przeznaczony na reklamy przypisane do trzech głośnych wydarzeń medialnych. Wysokie słupki oglądalności gwarantowane. Po pierwsze, telewizyjna premiera obsypanego Oscarami filmu Wielkiego Polskiego Reżysera na Obczyźnie. Wstyd nie zobaczyć. Przecież to lada chwila będzie kanon. Po drugie, koncert Mocno Skandalizującej Gwiazdy Popu. Pierwszy i, z uwagi na masowe protesty posiadaczy znieważonych już pre factum uczuć religijnych, pewnie ostatni w Polsce. Czyli będzie się działo! Po trzecie, konkurs skoków narciarskich w Zakopanem. Małysz u szczytu formy. Wszechobecny kult bułki z bananem. Szaleństwo pod Wielką Krokwią. Leć, Adaś, leć! Dodam, że wszystkie te perełki w Wiodącej Stacji Komercyjnej, więc telewidz spodziewa się reklamowej młócki co kwadrans. Jak nie częściej. A tu pach! Niespodzianka. Przed samą emisją tylko skromna plansza ze zdjęciem naszego preparatu, z logotypem Top Mediki i sielską kompozycją ziółek w tle. Plus krótki tekst powtórzony jeszcze kojącym głosem popularnego lektora: „Dzięki Stay-Calm zawsze mają Państwo spokój. Święty spokój. Także od reklam". Dziesięć sekund komercji i już. Dalszych reklam brak. Bo czas wykupiony, ale niewykorzystany. Film, koncert i skoki lecą w całości. I można je sobie w promowanym przez nas spokoju pooglądać. Nareszcie.

Widzom się to ewidentnie spodobało, bo od razu wywindowali StayCalm na pozycję jednego z liderów sprzedaży w tym segmencie leków. Top Medica podobno nie nadążała z dostawami. Tyle tego szło! Za to recenzje w prasie branżowej były ambiwalentne. Bo niby zabieg pionierski. Kreatywny przez takie większe ka. Ale jednak jednorazowy, nie do powtórzenia. Psucie rynku. Może nawet destabilizacja. Należy to stanowczo oprotestować. I protesty rzeczywiście były. Największe koncerny ostro interweniowały u szefów Wiodącej Stacji Komercyjnej. Że jeszcze jeden taki numer i oni, wielcy gracze, wycofają swoje reklamy. Wiodąca Stacja będzie mogła liczyć tylko na kasę z Top Mediki. A wtedy się posra. Na rzadko. I przestanie być wiodąca. A potem te same koncerny wymusiły jeszcze na jakimś dziwnym urzędzie całkowity zakaz takiej reklamy jak ta nasza. Panie z Top Mediki od razu spanikowały, że media zniszczą im wizerunek. Ale Bernard szybciutko polecił im dobrego PR-owca, który zręcznie odwrócił kota ogonem. I media tłukły ludziom do głowy, że wielkie koncerny (które, choć przebogate, to nie płacą u nas podatków!) chcą zniszczyć Top Medikę, firmę niemal rodzinną, bo zatrudniającą w Polsce zaledwie sto dwadzieścia osób. I mającą prawie piętnaście procent polskiego kapitału. Naszego, piastowskiego! I ludzie jeszcze chętniej walili do aptek po Stay-Calm. Żeby pomóc „rodzinnej" firmie w tarapatach. Rodzinnej z rodzimym kapitałem. Ale panie z Top Mediki i tak nie zleciły nam już żadnej kampanii ATL-owej. Bały się kolejnego zamieszania wokół swoich marek. Całej tej burzy medialnej. Marketingowcy to tchórze. I konformiści. My na brak roboty i tak nie narzekaliśmy. Po StayCalm od razu weszły na tapetę pralki Singsong. Tym razem reklamy prasowe. Pełne strony w najpopularniejszych tygodnikach opinii. Zadanie agencji: przekonać konsumentów, że korzystanie z pralki może być – cytuję brief – fajne. Mówimy zarówno do kobiet, jak i do mężczyzn. Bo taki zakup to zazwyczaj wspólna decyzja. Pomyślałem, że może być ciężko. No bo co niby może być fajnego w praniu? Wirowanie? Płukanie? Program do wełny? A może do jeansu? Kogo kręcą te wszystkie programy? No właśnie... kręcą... programy... Dalej już jakoś poszło. Wyszliśmy naprzeciw oczekiwaniom klienta. Niełatwym bądź co bądź.

Na pierwszym planie facet z babką. Leżą sobie wygodnie na puszystym białym dywanie (kolor podprogowo sygnalizujący nieskazitelną czystość prania wyciąganego z reklamowanej maszyny). Leżą na brzuchach. Podparci łokciami. Pomiędzy nimi duże opakowanie popcornu. Czubate. Takie, jakie dają w kinie. Przed nimi, w centralnym punkcie layoutu, połyskująca metalicznie pralka Singsong. Najbardziej wypasiony model. Bezwstydnie kuszący kosmiczną elektroniką. Zalotnie mrugający kolorowymi diodami. Bęben pralki w ruchu. Wiruje w najlepsze. I właśnie w ten bęben wpatrują się facet z babką. Przez szybkę w drzwiczkach. Jak zahipnotyzowani. Jak w telewizor. W lewym dolnym rogu logo klienta. Na górze hasło: „Wybierz program, który najbardziej cię kręci". Recenzje w prasie branżowej wyłącznie przychylne.

A potem jeszcze jedna telewizja. Spot trzydziestosekundowy. Canadian Trapper. Kultowe nietępiące się scyzoryki z Kraju Klonowego Liścia. Dla tak zwanych męskich facetów. Dla twardzieli. Prawdziwych. Takich, co i z niedźwiedziem zatańczą, jak ich porządnie wkurwi. Takich, co czasem na parę dni znikają, a wtedy lepiej ich nie szukać. Bo trochę strach i nie bardzo wiadomo gdzie.

No więc posadziliśmy jednego z takich supersamców w ponurym knajpianym wnętrzu, przy ciężkim dębowym stole. Wokół stołu same ciemne typy. Na stole trunki. Nad stołem siwy dym. Bo w takich miejscach zakazy palenia to jednak czysta fikcja. Czas stoi tam w miejscu. Co to dzisiaj mamy? Późny Dziki Zachód? Wczesny XXI wiek? Tego nie wie nikt. I nikogo to specjalnie nie obchodzi. Wszyscy pochłonięci są tym, co wyprawia nasz twardziel. A on bierze kolejno podawane mu noże (różne, od kozików po maczety) i zasuwa nimi szybką rundkę pomiędzy palcami dłoni. Łapa nawet mu nie drgnie. Pyk, pyk, pyk – pewność i precyzja. I żadnych strat własnych. I następny proszę. A typy przy stole robią zakłady. Zatnie się w końcu czy się nie zatnie? Gotówka krąży z rąk do rąk. Przed twardzielem też spora kupka banknotów. W tle leci *Knajpa morderców* Kultu. Bohater kończy zabawę z kolejnym nożem – dużym, rzeźnickim. Wychodzi z niej oczywiście bez szwanku. Wtedy ktoś z sali podaje mu scyzoryk. Facet odruchowo wyciąga po niego dłoń, ale cofa ją, kiedy dostrzega charakterystyczne logo Canadian Trapper. Kręci głową, uśmiecha się i bezradnie rozkłada ręce. Walkower. Rezygnuje. Bo trafił na naprawdę ostrego zawodnika. Wie, że może nie dać mu rady. Zaciemnienie ekranu. Po chwili na czarną planszę wjeżdżają trzy scyzoryki: jeden prosty – pojedyncze ostrze i szlus, drugi z otwieraczem do piwa, korkociągiem i nożyczkami, trzeci z latarką, wskaźnikiem laserowym i pamięcią USB. Różni są przecież twardziele. Razem ze scyzorykami na ekranie pojawia się hasło: „Canadian Trappers. Najostrzejsi zawodnicy". Klientowi chyba się to spodobało, bo do spotu dorzucił nam jeszcze duży folder produktowy. Za dodatkowe pieniądze, rzecz jasna.

Przyznaję bez bicia, że pod koniec tego miesiąca zaczęło mi ździebko odwalać. Kotu zresztą też. Świat zaserwował nam zbyt dużo pozytywnych komunikatów zwrotnych w zbyt krótkim czasie. I wszystkie te komunikaty wzięliśmy bardzo do siebie. Za bardzo. Gdyby ktoś wpisał wtedy w Google frazę „do nieprzytomności upojeni sukcesem", to na bank wyskoczyłyby mu nasze podobizny. Bywało, że zamiast chodzić, unosiliśmy się nad podłogą. W tych naszych nowych, drogich dieslach jak z najpodlejszego śmietnika. W tych naszych strzelistych, awangardowych fryzurach (alternatywna warszawka zaczynała akurat popalać fajkę pokoju z irokezami). Z tą całą bonusową kasą za przetargi za pazuchą. Normalnie nadludzie. Niezwyciężeni. Rasa panów. Panów copywriterów. ATL-owych! Jaro początkowo nawet próbował sprowadzać nas na ziemię. Ale szybko machnął ręką. Uznał, że samo życie nas sprowadzi. Raczej prędzej niż później. A wtedy glebniemy z hukiem i boleśnie. I może czegoś się nauczymy.

Dyrektor Jarosław spokojnie przypedałowywał co rano pod agencję na zabytkowej ukrainie. W swoim powłóczystym mnisim przyodziewku przypominał raczej wiejskiego księdza krążącego po kolędzie niż geniusza reklamy przybywającego, by prowadzić swój team do kolejnych spektakularnych sukcesów. A geniuszem Jaro był bezsprzecznie. Takim przez cholernie duże gie. Co tu dużo gadać, uwielbiałem z nim pracować. Móżdżyć wspólnie i wymyślać intelektualne przekrętki. Bezlitośnie wycinać dobre pomysły, by zrobić miejsce bardzo dobrym. Dzień w dzień dymałem do firmy cały podekscytowany. Z wypiekami na gębie. Widziałem, że Kot ma podobnie. Bo Jaro i jemu dodawał jakiejś takiej... hm... Sam nie wiem, czego nam dodawał. Może czegoś do herbaty? W każdym razie dodawał i już. Bo przecież byliśmy ostro na plusie.

RUNDA PIĄTA

Przez pierwszy miesiąc pracy pod Jarosławem czuliśmy się z Kotem jak w bajce. Tylko że każda bajka kiedyś się kończy. U nas bajkowo przestało być właśnie jakoś tak po miesiącu. Chociaż nic tego nie zapowiadało.

Do przetargu na całoroczny budżet reklamowy zaprosiła nas sieć elektromarketów Giga RTV/AGD. Absolutny lider rynku. Cel: refresh* wizerunku marki (oparta na angielskich kalkach korporacyjna nowomowa coraz śmielej popluwała w twarz starej, dobrej polszczyźnie). Wyścig dwuetapowy. Etap pierwszy: opracowanie nowej koncepcji kreatywnej, key visualu** i hasła marki. W peletonie aż dziesięć agencji. Cztery sieciówki, sześć lokalnych. Do drugiego etapu mogły przejść najwyżej trzy. Czyli spory odsiew. Kładąc przed nami brief, Bernard zaserwował nam jedną ze swoich ciągnących się jak guma do żucia pogadanek motywacyjnych. Że to dla naszej małej agencji duża szansa. Że być może niepowtarzalna. Że zdobycie tego budżetu to gwarancja dalszego harmonijnego rozwoju. Że

---

* Refresh – odświeżenie.
** Key visual – graficzny motyw przewodni kampanii reklamowej.

przeniesiemy się do nowego biura. Większego. Że on, gorący zwolennik pozytywnych wzmocnień, da nam wreszcie konkretne podwyżki. Pozatrudnia dodatkowych ludzi. Pokupuje nowe macbooki. A premie za ten przetarg będą takie bardziej od serca. Niech będzie jego strata – nawet po dwa tysiące na twarz! Ludzki pan.

Termin prezentacji był jak zwykle niedorzeczny, więc zasuwaliśmy po dwanaście godzin na dobę. Kiedy wychodziłem z roboty, dosłownie chciało mi się rzygać. Ze zmęczenia. Procesor miałem przegrzany do tego stopnia, że nie byłem w stanie złożyć sensownego zamówienia w knajpie. Brakowało mi słów. Nawet tych najprostszych, jak „piwo" czy „seta". Zresztą jakichkolwiek. Bo wszystkie zużywałem w ciągu dnia. Na burze mózgów. Kot miał tak samo. Dlatego chodziliśmy do knajpy we dwóch. Żeby zwiększyć szanse na dogadanie się z obsługą. Czułem, że dla higieny przydałby mi się nowy kieliszkowy kompan. Najlepiej jakiś „cywil". Taki, który nie idzie co rano na wojnę z marketingowym betonem. Niestety, kiedy my, panowie copywriterzy, kończyliśmy swoją robotę, „cywile" przeważnie dawno już spali.

Prezentacja w Giga RTV/AGD okazała się doświadczeniem surrealistycznym. Pojechaliśmy tam we trzech: Bernard, Kot i ja. Jaro odmówił. Powiedział, że jeszcze nie czuje się gotowy na takie harce. Klienta reprezentowało dwóch skacowanych brodaczy w pomiętych garniturach. Na dzień dobry nie zaproponowali nam absolutnie niczego do picia. O przekąskach nawet nie wspominam. A potem stawali na rzęsach, żeby uświadomić nam, jak bardzo jesteśmy maciupcy i niegodni ich menedżerskiej uwagi. Naprawdę się starali. Kiedy tylko któryś z nas się odzywał, natychmiast zaczynali ziewać. Jak na komendę. Pełna synchronizacja. Na bank mieli z tego jakieś szkolenia. Kiedy wyciągaliśmy kolejne wydruki naszych projektów, spuszczali wzrok i zaczynali zawzięcie wklepywać SMS-y do komórek. Po czym kiedy Bernard podsumowywał naszą prezentację, jeden z tych facetów ostentacyjnie spojrzał na zegarek i poinformował drugiego, że stołówka właśnie zaczyna wydawać obiady, więc trzeba kończyć to całe przedstawienie. Wstali i wyszli. Tak po prostu.

Wszyscy byliśmy w ciężkim szoku, kiedy tydzień później przyszła informacja, że jesteśmy w drugim etapie konkursu. Nasz prezes musiał się stawić u jednego z tych brodaczy, żeby poznać wymagania związane z dalszym udziałem w walce o budżet Giga RTV/AGD. Wrócił cały roztrzęsiony. Wezwał do siebie Jarosława. A wtedy my z Kotem hyc do kibelka na dole i uszy do ściany. Oj, warto było się pofatygować! Bo dowiedział się człowiek tego i owego. Że owszem, przeszliśmy do drugiego etapu, ale żeby w nim wystartować, trzeba podpisać oświadczenie, że nie współpracuje się z żadną inną siecią handlową. A my przecież robiliśmy tę gazetkę dla Taniego Dyskontu Spożywczego. Sieciowego jak jasna cholera.

– Przyznałem się facetowi do Dyskontu – relacjonował zza ściany Bernard. – Nie miałem wyboru, przecież chwalimy się tym klientem na naszej stronie. A on mi mówi, że albo Dyskont, albo Giga. Musimy wybierać. Bo oni mają w umowie jakąś klauzulę o zakazie konkurencji. Jak nas przyłapią na flirtach z inną siecią, to z miejsca płacimy im sto pięćdziesiąt tysięcy kary. Rozumiesz?! Sto pięćdziesiąt! No to ja się bronię, że to przecież inna branża, tam kurczaki, tu telewizory, więc jaka niby konkurencja. A on mi na to, że nic się nie da zrobić. Przynajmniej teoretycznie. Bo w praktyce wszystko można obejść. Ale to oczywiście wiąże się z dodatkowymi kosztami. No to się pytam, z jakimi. A ten mi pisze na kartce: piętnaście tysięcy dla niego plus piętnaście dla tego drugiego brodacza. I wtedy już ich nie obchodzi, dla kogo jeszcze pracujemy. Tłumaczę mu, że to trochę dużo. Że jesteśmy małą agencją. No to on, że takie są stawki. Dla wszystkich. I że nikt nigdy nie narzekał. Jak nie my, to znajdą się inni chętni. Więc żebym to sobie przemyślał. Do jutra.

– No i co zamierzasz? – spytał Jaro.

– Jak to co?! Przecież im nie zapłacę!

– I bardzo słusznie. Łapówki są takie nieetyczne...

– Nie o to chodzi! Po prostu nie mam skąd wytrzasnąć takiej kasy. I to do jutra. Co, nerkę, kurwa, sprzedam?

– Posłuchaj, Bernardzie – głos Jarosława zabrzmiał teraz chłodno i oficjalnie. No i ten wołacz, który zawsze zwiększa dystans – chciałbym, żebyśmy się dobrze zrozumieli. Dzień, w którym wręczysz komuś łapówkę, będzie moim ostatnim dniem w twojej agencji.

– Daj spokój, stary!

– Mówię serio. Wiesz, że brzydzę się korupcją. Za długo pracowałem na swoje nazwisko.

– Dobrze, już dobrze. Nie będzie żadnej korupcji – pospiesznie zapewnił Bernard.

– Mam taką nadzieję.

– Ale sam przyznasz, że szkoda tego Giga, co? Z takim klientem z miejsca wskoczylibyśmy do pierwszej ligi. A kto raz się tam znajdzie...

– Ta agencja i tak już niedługo będzie w ekstraklasie. I to bez żadnych łapówek. Zobaczysz.

– Tak myślisz?

– Oczywiście. Masz ludzi, którzy mogą ci wygrać każdy przetarg. Przynajmniej każdy uczciwy.

– No, wiem, wiem... Doceniam, że zgodziłeś się przyjąć tę pracę. Naprawdę cieszę się, że z nami jesteś.

– Nie mówię o sobie! Wyrosłem już z takich przechwałek. Chodzi mi o chłopaków. Fachury pełną gębą.

Obaj z Kotem aż podskoczyliśmy do góry. Cholera, to o nas! Fachury! Pełną gębą! I mówi to sam Jaro. Ten Jaro. Ktoś, kto, umówmy się, ma jakieś pojęcie. A więc fury i lofty są tylko kwestią czasu!

– To prawda, są nieźli – zgodził się łaskawie Bernard. – W końcu sam ich dobierałem.

– Przypominam, że Artura to jednak ja ci poleciłem.

– Masz rację. Artur to twoje odkrycie. Ale Kota to już sam sobie znalazłem. I od razu czułem, że to będzie strzał w dziesiątkę.

– À propos chłopaków – przejął inicjatywę Jaro. – Mam nadzieję, że wypłacisz im jakąś premię za to Giga. W końcu to nie ich wina, że musisz się wycofać. Obiecywałeś im po dwa tysiące za przejście dwóch etapów. Przeszli jeden. Więc uczciwie będzie dać im po tysiącu.

– Mowy nie ma! – zagrzmiał Bernard. – Przecież nie zarobiłem na tym ani grosza! To dlaczego mam płacić im?!

– Bo ludzie muszą czuć, że są doceniani. Zwłaszcza jeśli odwalają dla ciebie dobrą robotę. A jak tutaj tego nie poczują, to pójdą sobie gdzie indziej. I każdy ich przyjmie z otwartymi ramionami. Zapewniam cię. Więc jak będzie, dostaną te premie?

– Będzie po mojemu – zdecydował po dłuższej chwili namysłu Bernard. – Z całym szacunkiem, Jarosławie, ale nikomu nie pozwolę ingerować w moją politykę wynagrodzeń. Nawet tobie.

– Cóż, mój drogi, popełniasz wielki błąd... W takim razie ja im wypłacę te bonusy. Ze swojej pensji. W tym miesiącu na klasztor przelej, proszę, tylko dziesięć tysięcy. Pozostałe dwa daj chłopakom. Zapracowali.

– Ale...

– To moja ostateczna decyzja – oznajmił Jaro. – Z całym szacunkiem, Bernardzie, ale nikomu nie pozwolę ingerować w to, co robię z moją własną pensją. Nawet tobie.

Kto mieczem wojuje, od miecza ginie. Chcąc nie chcąc, Bernard musiał nam te premie wypłacić. Natychmiast przekazaliśmy je Jarosławowi. Dla alienatów. Na te stoły do refektarza. Gest za gest.

***

Któregoś dnia, mniej więcej w połowie drugiego miesiąca swojego dyrektorowania, Jaro ni z tego, ni z owego pojawił się w pracy bez habitu. I to nie w jakichś wyczesanych kloszardzkich fatałaszkach z czasów Legendarnej, tylko w dorosłych, klasycznych jeansach i jeszcze bardziej dorosłym, granatowym sweterku w serek. Powiedział, że to eksperyment. Chce sprawdzić, jak będzie się czuł po cywilnemu. Czy to jeszcze dla niego, czy już nie bardzo. I że jak się dowie, to sam nam powie. Więc żebyśmy nie drążyli.

Ewentualną pogawędkę o tożsamościowo-garderobianych dylematach Jarosława przerwało charakterystyczne pukanie do drzwi.

– Czołem, moi drodzy! – Bernard jak zwykle nie czekał na żadne „proszę". Prezesi agencji reklamowych wszędzie wchodzą jak do siebie. – Macie może wolną chwilkę?

– Oj nie, akurat robimy burzę mózgów – skłamał Jaro.

To był odruch. Odruch doświadczonego kreatywnego, który wie, że za żadne skarby nie powinien przyznawać się do posiadania wolnego czasu. Nie przed ekantem.

– Burza, powiadasz? Zza drzwi jakoś nie słyszałem piorunów. – Bernard też nie był w ciemię bity. – Parę minut na pewno dla mnie znajdziecie, prawda? Zapraszam do sali konferencyjnej. Ciebie, Jarosławie, również. Widzę, że twój strój nie stoi dziś na przeszkodzie. Pospieszcie się, panowie. Na dole czeka gość.

Posłusznie zeszliśmy za nim po schodach. No bo jak tu odmówić ukochanemu chlebodawcy?

W sali konferencyjnej, na honorowym miejscu u szczytu stołu siedziała pani dyrektor Kasia. Już nie skromna asystentka, lecz udzielna władczyni marketingowego królestwa Bella Donny. Siedziała sobie cała w Pradzie. Bo już nie musiała szmacić się żadną Zarą. I cała w nowych cyckach. Bo stare nie miały w sobie za grosz dyrektorskiej powagi. Cała pachnąca sukcesem. Bo na obecnie piastowanym stanowisku inaczej pachnieć po prostu nie wypadało. Na powitanie podsunęła nam do całowania wypielęgnowaną, upierścienioną dłoń. No więc wycmokaliśmy ją z Kotem w te precjoza. Szarmancko i uniżenie zarazem. Naprawdę niełatwa kombinacja. Potem Bernard przedstawił Jarosława, którego pani dyrektor Kasia również usiłowała nakłonić do złożenia ustnego hołdu na swej dłoni. Ale człowiek bez habitu byle czego nie całował. Bożków fałszywych nie czcił. Ograniczył się do zwykłego biznesowego uścisku ręki, co lekko zbiło panią dyrektor Kasię z pantałyku. Przybrała sfochowany wyraz twarzy. Odwracając uwagę od popełnionego przez Jarosława faux pas, Bernard czym prędzej przystąpił do wyjaśniania nam, maluczkim, powodów wizyty znamienitego gościa. Otóż pani dyrektor Kasia była tak miła, że wpadła, by zaprosić nas do przetargu na kampanię telewizyjną swojego najnowszego produktu – wielowarstwowych podpasek ze skrzydełkami. Niezrównanie ergonomicznych. I chłonnych jak żadne inne.

– I co, podjęliby się panowie? – zaszczebiotała jej ekscelencja, filuternie trzepocąc rzęsami od Diora.

– A dlaczegóżby nie? – odpowiedział pytaniem na pytanie Jaro.

– Och, to cudownie! – Pani dyrektor Kasia aż klasnęła w dłonie. – Bardzo się cieszę, naprawdę. Bo panowie zawsze mają takie fajne pomysły! I takie ciekawe spojrzenie na świat! I na produkt!

– No to kiedy zaczynamy pracę? – Nasz kreatywny od razu przeszedł do rzeczy.

– Najlepiej ASAP. Bo czasu, jak zwykle, nie mamy za wiele.

– A ile go mamy tak konkretnie? – Jak każdy profesjonalista, Jaro lubił twarde dane.

– Zaraz, niech no policzę... – Pani dyrektor Kasia zaprzęgła do roboty swoje wypielęgnowane palce. – Dziś jest wtorek. Każda z agencji musi zaprezentować się u nas do przyszłej środy. Państwa po znajomości wcisnę na sam koniec. Czyli macie jakieś... jakieś... – Czasem przy wyższej matematyce nawet palce zawodzą. – Parę dni w każdym razie macie.

– A można spytać, ilu koncepcji pani od nas oczekuje?

– Dwóch. Jak od wszystkich innych uczestników przetargu.

– W porządku, da się zrobić – zdecydował Jaro.

– No to fantastycznie! – Tym razem obyło się bez klaskania. – Wszystko mamy ustalone, więc będę się powoli żegnać. A wy, panowie, zabierajcie się do roboty!

– Chwileczkę – usadził ją Jaro. – A gdzie brief? Bo my bez briefu nie pracujemy.

– A, brief... No tak... Cóż, już dzwonię do mojej asystentki. – Zauważyłem, że wybiera numer zakodowany pod jedynką, czyli zero życia prywatnego. Jak ja, nie przymierzając. – Basiu, to ja! – jej ekscelencja zwróciła się do słuchawki. – Słuchaj no, Basiu, jestem na spotkaniu u pana Bernarda. Wiem, że nie znasz. Może kiedyś poznasz. Są tu też z nami panowie z działu kreacji. I pytają o brief na te podpaski. Co?! Jak to nie zdążyłaś?! Ręce opadają! To za co ja ci, dziewczyno, tyle płacę?! Tak, wiem, że robiłaś te roczne zestawienia! A co, może miałam zrobić je za ciebie?! No, ja myślę, że nie! No to ty mi tu, dziecko, bajek nie opowiadaj, tylko siadaj do tego briefu. I to biegusiem! Jak to musisz wyjść? Jakie znowu badania?! Akurat dziś?! Tak, wiem, że to nie ty ustalasz terminy w szpitalu! Jeszcze by tego brakowało! No dobra, idź sobie, idź! Ale jutro masz mi być wcześniej! Do południa chcę mieć ten brief na biurku! Nieodwołalnie! Bo jak nie, to sama wiesz!

Tu nastąpiła krótka pauza. Jej ekscelencja sprawdzała, czy aby na pewno skutecznie się rozłączyła. Wiadomo, licho nie śpi.

– No, sami panowie słyszeli, z kim ja muszę pracować – wysapała po chwili. – Brief będzie gotowy jutro w południe. Potem szybko wprowadzę swoje poprawki. Jak znam tę moją Basię, to niestety będą potrzebne. Na sto procent dostaniecie ten dokument przed końcem dnia.

– Czyli, realnie rzecz biorąc, pracę będziemy mogli zacząć dopiero w czwartek – procesor Jarosława szybko przetworzył uzyskane dane. – Obawiam się, droga pani, że w tym układzie możemy zapomnieć o prezentacji w przyszłą środę. Oczekuje pani dwóch spotów. Na samo przygotowanie storyboardów potrzebujemy dwóch dni roboczych. Jednak żeby ilustrator mógł usiąść do rysowania, my musimy te spoty najpierw powymyślać.

– Przecież mają panowie na to swoje myślenie czwartek i piątek. Toż to całe dwa dni! – Pani dyrektor Kasia zaczęła się irytować.

– Czyli tyle samo, ile panie na napisanie briefu. Nie sądzi pani, że czasochłonność tych prac jest jednak nieporównywalna?

– Może dla pana! – Twarz jej ekscelencji poczerwieniała ze złości. – Pan chyba nie zdaje sobie sprawy, ile jest roboty przy takim briefie!

– Myślę, pani dyrektor, że nie ma sensu aż tak się denerwować – próbował łagodzić sytuację Bernard. – W końcu wszyscy gramy tu do jednej bramki. Jarosław chciał tylko powiedzieć...

– Chciałem tylko powiedzieć – wpadł mu w słowo Jaro – że nie wyobrażam sobie wykonania tak ogromnej pracy koncepcyjnej w tak krótkim czasie.

– Jeśli zawodzi pana wyobraźnia, to nie wiem, co pan w ogóle robi w dziale kreacji.

Emocje poniosły panią dyrektor Kasię, jak to się ładnie mówi, o jeden most za daleko. W odpowiedzi Jaro tylko potrząsnął głową, chyba nawet bardziej z niedowierzaniem niż z dezaprobatą. Odwrócił się na pięcie i ignorując błagalne spojrzenie Bernarda, szybkim krokiem opuścił salę konferencyjną. Na pożegnanie, a jakże, trzasnął jeszcze drzwiami.

No, teraz to się dopiero pani dyrektor Kasia rozszalała. Darła się na Bernarda przez ładnych parę minut. Co to za porządki! Co za maniery ma jego personel! Jak można tak potraktować kobietę. W dodatku klienta! I to kluczowego! Ona naprawdę nie musi współpracować z kimś, kto jej nie szanuje! Ani jej produktu! Jak się nie podoba robota bez briefu, to roboty nie będzie wcale! Jest kupa innych agencji, którym żadne briefy niepotrzebne! Ona pójdzie stąd prosto do nich. A u Bernarda to jej noga już nigdy nie postanie!

Za nic nie dawała się udobruchać, choć prezes stawał na rzęsach. Przepraszał za Jarosława. Za siebie. Z rozpędu nawet za mnie i za Kota. Wysławiał pod niebiosa wszystkie produkty Bella Donny. Był chyba bliski zadeklarowania, że sam ich używa. Gorąco zapewniał o wyjątkowości współpracy z panią dyrektor Kasią. Obiecywał jej jakieś niedorzeczne rabaty i chore upusty. Komplementował znakomicie skomponowany strój i zapierającą dech w piersiach fryzurę. Toczył wazelinę na skalę wręcz przemysłową. Nie pomogło. Jej ekscelencja wybyła z wielkim hukiem. Cała obrażona.

Kiedy wróciliśmy z Kotem na górę, do naszej klitki, Jaro stał na balkonie i patrzył w siną dal.

– Bez briefu nie pracujemy? – spytałem zdziwiony. – Przecież ty nie korzystasz z briefów!

– To, że z nich nie korzystam, nie znaczy, że ich nie potrzebuję – odparł spokojnie człowiek bez habitu. – Chodzi o zasady. Porządny brief, nawet jeśli go nie czytam, jest dla mnie sygnałem, że klient mnie szanuje. Że włożył trochę własnej pracy w to, żebym ja mógł dobrze wykonać swoją. A poza tym kto przy zdrowych zmysłach zleca opracowanie wielkiej kampanii telewizyjnej za kupę forsy, nie przedstawiając swoich celów i oczekiwań? Przecież to zupełnie niepoważne! Dziwię się, że Bernard dopuszcza do takich sytuacji i wpycha nas na takie miny...

W tym momencie na moim biurku zadzwonił telefon.

– À propos, Bernard cię wzywa – powiedziałem, odkładając słuchawkę. – Jest wściekły.

– To już jego problem – rzucił przez ramię Jaro, wychodząc z pokoju.

Nie było go z godzinę. Kiedy wrócił, mruknął tylko, że niektórych ludzi to on już zupełnie nie poznaje.

***

W któryś piątek Jaro zapytał mnie i Kota, co robimy wieczorem. My na to, że pewnie nic, tydzień był ciężki, musimy odpocząć, odespać. A on, że wyśpimy się na emeryturze. I zaprasza do siebie, na przednią śliwowicę. O ósmej. Jak chcemy, to można nocować, bo jest gdzie. Poznamy ciekawych ludzi.

Przyszliśmy z Kotem punktualnie. Wiedzieliśmy, że Jaro bardzo to lubi. Gospodarz oprowadził nas po swoim „lofcie”. Aranż wypisz wymaluj jak u Boba z New Yorku. Dałbym nawet głowę, że maczał w tym palce ten sam projektant. Bo i ściany pobielone wapnem. I trochę gołej cegły.

Oczywiście surowe dechy na podłodze, żarówki dyndające na kolorowych kablach. I obowiązkowe meble z europalet. Wszystko dyskretnie poprzetykane markową elektroniką. A widok z okien to nawet lepszy. Bo na Łazienki.

W salonie siedziało już dwóch gości. W habitach. Brat Albert i brat Roman. Z zakonu alienatów. Na przepustce. Obaj ledwie po trzydziestce. Obaj uśmiechnięci od ucha do ucha. Ze szklaneczkami w rękach. A w szklaneczkach zapowiedziana śliwowica. Okazało się, że ich własnej roboty. Klasztorna. Nam też od razu polali. Rety, jaką to to miało moc! Sześćdziesiąt procent? Siedemdziesiąt? Rozmowa szybciutko nam się skleiła. Mnisi najwyraźniej odreagowywali regułę milczenia, bo gęby nie zamykały im się nawet na sekundę. Brat Albert opowiadał bardzo barwnie. Brat Roman z wielką swadą. Ale o czym? Nie mam bladego pojęcia. Trunek szybko wyłączył większość moich funkcji poznawczych. Pamiętam tylko, że było miło. I że cały czas się śmiałem.

Obudziliśmy się z Kotem w hamakach w pokoju gościnnym na pięterku jakoś tak około dziesiątej rano. Cali wczorajsi. Po mnichach nie było już śladu. Podobno wstali o piątej i poszli obejrzeć wschód słońca w Łazienkach. Wracając, kupili świeże bułeczki na śniadanie. Wypili kawę i Jaro odwiózł ich na pociąg. Musieli wracać. Koniec przepustki. Trochę mnie zdziwiło, że nasz gospodarz wskoczył za kółko po takiej libacji. Ale przypomniałem sobie, że on przecież nie pije. Po tej aferze w Legendarnej sobie to obiecał. I tego się trzyma.

– Przyjemnie było patrzeć wczoraj, jak się te dwa światy ładnie zazębiają – zagaił, podając nam śniadanie. – Teraz widzę, że mnicha od kreatywnego nie różni znowu aż tak wiele. I już nie jestem taki pewien, do kogo mi bliżej. Choć jakieś swoje wnioski oczywiście mam.

Ciekawe jakie? Bo mi, tak na gorąco, przyszedł do głowy tylko jeden. Że zakonnik ma mocniejszy łeb. O wiele.

Pożegnaliśmy się serdecznie. Wyszliśmy z Kotem na ulicę Podchorążych. Padał deszcz ze śniegiem. Od razu ochlapał nas jakiś samochód. Dziwnie znajomy. Czarne audi A6. Naklejka z jabłuszkiem Apple'a. Bernard. Kiedy tak za nim patrzyłem, wydawało mi się, że widzę czubeczek siwej głowy wystający znad zagłówka pasażera. Pierwsza myśl: Biała! Druga myśl: Jaka Biała?! Przecież odkąd się pojawiła, ani razu nie widziałem jej z prezesem. Na firmowej kolacji nawet ze sobą nie gadali. Nie, ta w aucie to nie Biała. Nic z tych rzeczy! Już prędzej jego babcia. Kiedyś nawet wspominał, że staruszka mieszka gdzieś przy Łazienkach. I że on ją czasem wozi na zakupy. Czyli dobry z niego wnuk. Troskliwy. A ja go tu posądzam o jakieś mezalianse. I to z wykorzystaniem zależności służbowej. Powinienem się wstydzić. Fe!

***

Kac po imprezie z mnichami trzymał do wtorku. Ten ich cholerny samogon roztelepał mnie dokumentnie. Jeżeli braciszkowie pili go na co dzień, to nic dziwnego, że bez ustanku polecali się boskiej opiece. Ojcze nasz, zbaw nas ode złego. Śliwkowego. Amen.

Na szczęście tydzień okazał się zupełnie bezprzetargowy. Zero myślenia na poważne tematy. Zamiast tego gazetka Top Mediki. Czyli pacjent przez duże pe przychodzi do apteki przez duże a. A tam szeroko uśmiechnięty farmaceuta

przez duże ef wciska mu towar przez duże gie. Łatwizna.
Do czwartku opędziliśmy z Kotem cały grudniowy numer.
Żenujące hasło przewodnie: „Idą święta, o zdrowiu pamiętaj!". Klientki wniebowzięte.

Na piątek planowaliśmy już tylko surfowanie po internecie, palenie fajek i filozoficzne dysputy. Ale w reklamie
człowiek nie zna dnia ani godziny. Zostaliśmy trafieni
Dyskontem. Tanim. Spożywczym. Trzeba było wspomóc
Białą. Bo klient zażyczył sobie nagle rymowanych hasełek do gazetki. A Biała, wiadomo, poetka biała. Z rymami
na bakier. Więc polazła po ratunek do Bernarda. A on
puk, puk do nas. Żebyśmy pomogli młodszej koleżance.
Poduczyli ją tego i owego. Podzielili się zdobytym w jego
agencji i pod jego skrzydłami doświadczeniem. Chcąc nie
chcąc, musieliśmy z Kotem trochę porymować. O wołowym z kością, kaszy jaglanej i pączkach z dziurką.
Na szczęście Marley empatycznie poratował nas małym
jointem. I jakoś poszło. Sto dwadzieścia hitów cenowych.
Po sześćdziesiąt na łebka. Żeby Białej już łebka nie zawracać.

„Herbata ziołowa w ćwierci gratisowa".
„Dwa udka kurczaka u nas za piątaka".
„Zamorskie bataty dostępne na raty".
„Przy zakupie golonki – rabat na sajgonki".
„Piąte piwo za frajer – taki świąteczny bajer".
„Dwadzieścia procent zniżki na ziemniaczane kiszki".
„Do kabaczka dropsów paczka".
„Kupując wódeczkę, otrzymasz szklaneczkę".
„Papryczki czerwone ostro przecenione.
„Nieziemskie upusty na wszystkie kapusty".

Et cetera. Nawet najbardziej szanujący się copywriter musi od czasu do czasu dać wytrzeć sobą posadzkę.

Hasło przewodnie na okładkę numeru: „Tylko głupi nas nie złupi". Zaakceptowane w pierwszym podejściu.

***

Tuż przed Gwiazdką na polecenie Bernarda Jaro przygotował oceny swoich podwładnych. Dokument był poufny, ale przecież jego autor nie miał ani pęcherza z gumy, ani zahasłowanego kompa. Dwie jego wizyty w toalecie i wiedzieliśmy z Kotem wszystko. Że nasz dyrektor najwyżej ceni nas obu i Helgę. Bo my bardzo kreatywni i nieszablonowo myślący, a przy tym odporni na stres i presję czasu. A Helga perfekcyjnie zorganizowana, rzetelna i terminowa, odpowiedzialna, dzięki czemu nie wymaga ścisłego nadzoru (i rzeczywiście, Jaro nigdy się nie wcinał w ten jej BTL – miał zaufanie). Sporo dobrego przeczytaliśmy też o naszym przyjacielu Marleyu. Jaki to wybitny ilustrator z charakterystyczną, rozpoznawalną kreską, szybki w robocie, świetnie współpracujący w zespole. Jedyne zastrzeżenie: nieco chaotyczny (cóż, biorąc pod uwagę zawartość THC w jego krwi, dziwne, że tylko nieco). U Mieszka nasz kreatywny docenił doskonałą znajomość oprogramowania, nieustanne pogłębianie wiedzy na temat internetu i coraz lepsze planowanie własnej pracy. Na minus zapisał mu tworzenie i umacnianie podziałów w zespole (jednoosobowy dział internetowy nadal słowem się do mnie nie odzywał i demonstracyjnie opuszczał każde pomieszczenie, do którego zdarzyło mi się wejść). Natomiast na Białej nie zostawił Jaro suchej nitki. Bo niesamodzielna, nie potrafi myśleć sprzedażowo, nie czuje specyfiki przekazu reklamowego, stale ma problemy z trzymaniem się harmonogramu. Więc, dla jej własnego dobra, do natychmiastowego odstrzału. W konkluzjach wnioskował o gwiazdkowe premie po pięćset złotych dla każdego oprócz koleżanki poetki. Ale Bernard zamiast pięciu stówek dał nam wolne od Wigilii do końca roku. Powiedział, że czas to w końcu też pieniądz. Więc oto nasze premie. Na zwolnienie Białej nie przystał. Stwierdził, że ma w stosunku do niej jak najlepsze przeczucia. I że jego przeczucia nigdy go nie zawiodły.

***

Nadejście roku 2003 świętowałem w oparach pękatej amsterdamskiej sziszy. Na domówce u Marleya. Zaprosił jeszcze Kota i cycatą Martę. Impreza jak impreza. Była, minęła. Osób towarzyszących jakoś nie pamiętam. Może wcale ich tam z nami nie było? Bo w reklamie nawet jak kogoś masz, to i tak go nie masz. Bo nie masz kiedy mieć.

***

Po Nowym Roku w naszym pokoju znów zapachniało świeżym ATL-em. Najpierw wygraliśmy przetarg na kampanię billboardową myjek ciśnieniowych Niemieckiego Elektropotentata. A potem na serię reklam prasowych Wszechobecnej Telewizji Kablowej. Niestety, nad naszymi biurkami coraz częściej dawało się wyczuć także nieprzyjemną woń BTL-u. I nie mówię tu wcale o gazetce Top Mediki. Ona akurat nie śmierdziała nam aż tak bardzo. Chodziło o zgniłe jaja podrzucane nam przez Białą. A to nie wyrabiała się z Tanim Dyskontem, bo miała za dużo poprawek do

Banku Godnego Zaufania. A to znów vice versa. Do tego w najmniej odpowiednich momentach brała sobie wolne, na które Bernard nie wiedzieć czemu zawsze się zgadzał. I cała jej rozgrzebana robota spadała na nas. Przez co miewaliśmy z Kotem takie dni, że nie dawało się nawet wyskoczyć na fajka. A copywriter, który nie może sobie zapalić, wiadomo, bywa drażliwy. I skłonny do słownych utarczek. Zwłaszcza z panem prezesem mającym irytujący nawyk poganiania ludzi, którzy i tak już nie wiedzą, w co ręce włożyć.

**

W styczniu stosunki na linii Jarosław – Bernard pogarszały się dosłownie z dnia na dzień. Najczęściej darli koty o Białą, która nie dość, że pracowała w trybie slow motion, to jeszcze na każdym kroku puszczała literówki. Producent Mariusz tak jej nie ufał, że sam sczytywał po niej każdą linijkę wysyłanego do druku tekstu. I całe szczęście, bo dzięki jego czujności uniknęliśmy co najmniej jednej poważnej katastrofy. Folder ofertowy Banku Godnego Zaufania. Kluczowy klient. Zamówienie na dziesięć tysięcy egzemplarzy. Po siedem złotych za sztukę. Płyta z plikiem produkcyjnym już przygotowana. Kurier do drukarni zamówiony. Wszystko niby po sto razy sprawdzone. Ale Mariusz sprawdza po raz sto pierwszy. I znajduje megababola! Centralnie na okładce. Trzydziestosześciopunktową czcionką. Boldem! „Atrakcujna oferta rodzinna". Gdyby nie on, Bernard byłby siedemdziesiąt kafli w plecy. A my pewnie długo nie zobaczylibyśmy pensji. Po tej akcji Jarosław, wspierany przez producenta Mariusza, ponownie zażądał głowy Białej. Ale jej nie dostał. Prezes nadal w nią wierzył. Poza tym stanowczo zabronił wołać na nią „Atrakcujna". Bo już parę razy to słyszał. A to przecież nękanie. A nękanie to mobbing. A on u siebie w agencji żadnego mobbingu sobie nie życzy. Kategorycznie.

***

Apogeum konfliktu nastąpiło w poniedziałek, dwudziestego stycznia roku bezpańskiego 2003. Parę dni wcześniej do prezesa zadzwoniła niejaka pani Stasia. Z działu marketingu firmy Gummy Love. Prezerwatywy. Superwytrzymałe, nigdy niepękające. W ponad dwudziestu kolorach. I w tyluż smakach. Nasączone stymulującym lubrykantem. Prążkowane lub z wypustkami – co kto lubi. Babka pyta, czy nie zrobilibyśmy dla nich lokalnej kampanii outdoor. Takiej tylko na warszawkę. Bernard na to, że jak najbardziej. Zawsze do usług. A ona, że w takim razie super, już wysyła brief. I że robota od ręki, nie żaden przetarg, ktoś nas polecił. Kto? Pani Stasia nie chce powiedzieć. Oczywiście projekty muszą być ASAP, bo tablice na mieście już pobukowane. Prezentacja dwudziestego stycznia. No to Bernard szybciutko do nas, że właśnie załatwił nam nowe zlecenie, ale mamy niecałe trzy dni robocze, więc trzeba się sprężać.

– Będzie ciężko – stwierdził spokojnie Jaro – bo Artur z Kotem siedzą akurat po uszy w Banku Godnym Zaufania. Przecież Biała znowu ma wolne.

– Czy ktoś mówił, że będzie lekko? – Prezes nie krył irytacji. – W takim układzie trzeba jakoś przeorganizować pracę. Ale to już nie moja broszka. Od takich rzeczy mam przecież dyrektora kreatywnego. Któremu zresztą słono płacę.

Wychodząc, trzasnął drzwiami. Dla podkreślenia wagi swoich słów, jak mniemam.

Cóż było robić – ustaliliśmy z Kotem, że jeden z nas opędzi do końca ten BTL, a drugi razem z Jarosławem pomyśli nad Gummy Love. Rzuciliśmy monetą. A ślepy los rzucił Kota do lokat i kredytów, mnie do lubrykantów i wypustek.

Projekt mieliśmy gotowy już następnego dnia. Key visual: wielka żółta prezerwatywa naciągnięta na Pałac Kultury. Idealnie dopasowana. Tło: nocne, sprzyjające konsumpcji produktów Gummy Love. Na pierwszym planie zarysy sylwetek kobiety i mężczyzny. Trzymają się za ręce. Że niby spacerują sobie nocą po stolicy. Hasło: „Warszawa dobrze zabezpieczona". Plus logo klienta i paczka gumek w prawym dolnym rogu.

Przed weekendem znów zadzwoniła pani Stasia z marketingu. Poprosiła Bernarda, żeby na poniedziałkową prezentację zabrał ze sobą autorów projektu – grafika i copywritera. Bo to im będzie chciała przekazać ewentualne uwagi. Żeby potem nie było żadnych przekłamań. Bo terminy gonią i nie ma czasu na zabawę w głuchy telefon.

Siedziba Gummy Love znajdowała się na rogu Domaniewskiej i Wołoskiej. W jednym z tych kosmicznych biurowców. Który to był? Jowisz? Saturn? A może Mars? Zresztą wszystko jedno. Grunt, że dotarliśmy punktualnie. Pomimo szatańskich korków. Pani Stasia już na nas czekała. Całą sobą zachęcająca do natychmiastowego wypróbowania czegoś z oferty firmy. Trzydziestoletnia blondyna w typie Pameli Anderson z czasów *Słonecznego patrolu*. Wydatne usta, miseczka E, talia osy i nogi do samej ziemi.

– Witam panów serdecznie! Pan Bernard, prawda? – Uśmiechnęła się, podając dłoń prezesowi.

– Owszem, to ja – odparł nieco zdziwiony Bernard. – Jak się pani domyśliła?

– No bo ci dwaj panowie to na pewno artyści z kreacji. – Wskazała na mnie i na Jarosława. – Po fryzurach widać.

Faktycznie, ja z moim dziesięciocentymetrowym irokezem i Jaro z wygoloną glacą idealnie wpisywaliśmy się w obiegowy wizerunek twórców wiernie służących kupcom. Tym razem jeden zero dla pani z marketingu.

– No to proszę pokazać, co też mi panowie ładnego zaprojektowali – upomniała się pani Stasia, kiedy podano kawę i herbatę.

– Ja czy ty? – spojrzałem pytająco na Jarosława.

– To może ja – zdecydował, wyciągając z teczki czarne pianki z wydrukami projektów. – Ponieważ kampania ma mieć charakter lokalny, warszawski, należy tę warszawskość zaakcentować już w warstwie wizualnej – zwrócił się do pani Stasi, pokazując pierwszą planszę. – Dlatego też, jak pani widzi, zdecydowaliśmy się zestawić państwa produkt z najlepiej rozpoznawalnym symbolem stolicy, czyli z Pałacem Kultury. Ciemne, gwiaździste tło nawiązuje oczywiście do nocy, jako pory, w której popyt na prezerwatywy jest statystycznie najwyższy. Sylwetki kobiety i mężczyzny na pierwszym planie funkcjonują na dwóch płaszczyznach znaczeniowych. Po pierwsze, odnoszą się do pary warszawiaków spacerujących po swoim mieście, podkreślając tym samym lokalny wydźwięk przekazu. Po drugie, przywołują skojarzenia z zakochaną parą, a co za tym idzie, z państwa produktem, który – jak wiadomo –

bywa w miłości nieodzowny. Zaproponowane przez nas hasło nawiązuje do najważniejszej korzyści płynącej ze stosowania prezerwatyw, czyli do bezpieczeństwa. Bezpieczeństwa, które firma Gummy Love chce zaoferować wszystkim warszawiakom. Mając Warszawę w haśle i Pałac Kultury na obrazku, uzyskujemy efekt pełnej synergii między warstwą wizualną i tekstową. Ten pierwszy projekt został wykonany w proporcjach 5:2, czyli w takich, jakie mają standardowe billboardy. Tutaj natomiast – kontynuował, wyjmując drugą z przygotowanych plansz – można przekonać się, jak to wygląda w proporcjach 6:3. Uwzględniliśmy ten wariant na wypadek, gdyby wśród zabukowanych przez państwa nośników znalazły się też megaboardy. Cóż, to chyba wszystko z mojej strony.

– No i jak się pani podoba, pani Stasiu? – wkroczył do akcji Bernard.

– Sama nie wiem... Przyznam, że trochę mnie panowie zaskoczyli. Szczerze mówiąc, spodziewałam się czegoś... hm... w nieco innym stylu. Zróbmy może tak: zadzwonię po dziewczyny z działu handlowego. Niech one też rzucą na to okiem – powiedziała pani Stasia, podnosząc słuchawkę telefonu. – Gosia? Cześć, tu Stasia z marketingu. Słuchaj, możesz wpaść z Zosią na chwilę do konferencyjnej? No tak, teraz. Bo są tu panowie z agencji i pokazują mi te billboardy. Wiesz, te na Warszawę. Chciałabym, żebyście wy też zobaczyły. Za pięć minut, tak? No to super. Czekam.

Gosia i Zosia. A więc imiona pań z handlowego też muszą się rymować. Co prawda trochę inaczej niż imiona pań z marketingu, ale to w końcu zupełnie osobny dział.

Po chwili w drzwiach sali konferencyjnej pojawiły się zawezwane dziewczyny. Dwa klony pani Stasi. W zasadzie można je było wszystkie rozróżnić jedynie po kolorach koszul. Pani Stasia miała białą. Pani Gosia kremową. A pani Zosia écru.

Jarosław jeszcze raz zaprezentował nasze obrazki, objaśniając przy tym co i jak. Kiedy skończył, gracje z Gummy Love odbyły krótką, szeptaną naradę.

– Cóż, muszę przyznać, że mamy z dziewczynami mieszane uczucia – przemówiła wreszcie w imieniu całej trójki pani Stasia. – Generalnie projekty nawet nam się podobają. Jednak od razu zaznaczam, że konieczne tu będą pewne zmiany.

– Jesteśmy otwarci na sugestie – zadeklarował Bernard. – Na pewno uda nam się wspólnie wypracować satysfakcjonujący kompromis.

– No więc po pierwsze – tym razem przemówiła koszula écru, pani Zosia – zdjęcie opakowania produktu jest zdecydowanie za małe. Boimy się, że konsumenci go nie zauważą.

– No to proszę porzucić ten nieuzasadniony strach – bezceremonialnie przerwał jej Jaro. – Bo na standardowych tablicach to pudełko będzie miało wymiary czterdzieści na czterdzieści centymetrów. A na megaboardach prawie pięćdziesiąt na pięćdziesiąt. Czyli tyle, ile blat stolika Lack z Ikei. Na pewno nikt nie przeoczy.

– Może i ma pan rację, ten Lack jest całkiem spory. Nawet mam taki u siebie w salonie – włączyła się do rozmowy koszula kremowa, pani Gosia. – Ale mimo wszystko, dla naszego spokoju, proszę trochę to opakowanie powiększyć, dobrze?

– Oczywiście, powiększymy – obiecał Bernard, zanim Jarosław zdążył otworzyć usta. – Czy mają panie jeszcze jakieś uwagi do naszego projektu?

– O tak! – rozochociła się koszula écru. – Jako osoba odpowiedzialna za sprzedaż, chciałabym pokazać w tej reklamie jak najszerszą gamę produktów Gummy Love. A panowie dali tu tylko jedną paczkę. I to niestety cytrynową. A ona nie jest szczególnie lubiana przez konsumentów. Bo podobno trochę kwaśna w smaku.

– Nie ma problemu, wymienimy ją – natychmiast zapewnił ją nasz dziarski prezes. – Tylko proszę powiedzieć, na jaką?

– No nie wiem, może na malinową? Jak myślisz, Gosia? – koszula écru zwróciła się do kremowej.

– Ja tam bym dała bananową – odparła zapytana. – Bo to przecież nowość.

– No tak, nowość, oczywiście – zgodziła się pani Zosia. – Dajemy bananową!

– Będzie bananowa! – entuzjastycznie przytaknął Bernard.

– Aha, i żeby była przy niej taka czerwona gwiazdka z żółtym napisem „NOWOŚĆ". I z wykrzyknikiem, dobrze?

– Dobrze, dobrze – ochoczo pokiwał głową nasz prezes.

– Tak sobie jeszcze myślę... – włączyła się do dyskusji biała koszula, czyli pani Stasia. – Tu na dole zostawili panowie tyle pustego miejsca... Może by tak dorzucić jeszcze kilka opakowań? Żeby pokazać, jak szeroki mamy wybór. Co wy na to, dziewczyny?

– Jestem za! – podchwyciła koszula écru. – Powierzchnia reklamowa jest zbyt droga, żeby nie wykorzystywać jej w pełni. Dajmy jeszcze paczkę malinową i może brzoskwiniową...

– I tę prążkowaną! – wpadła jej w słowo koleżanka z działu. – I tę z wypustkami też! No i koniecznie tę niebieską z żelem chłodzącym.

– A przy niebieskiej też dajemy gwiazdkę „NOWOŚĆ", bo ona dopiero wchodzi na rynek – uzupełniła rzeczowo pani Stasia. – I po słowie „NOWOŚĆ" wykrzyknik.

– Drogie panie, pragnę zauważyć, że dodatkowe opakowania zupełnie przesłonią sylwetki mężczyzny i kobiety na pierwszym planie – próbował oponować Jaro. – W ten sposób stracimy bardzo ważny element budujący kontekst.

– E tam, niczego nie stracimy. – Pewność siebie rosła u pani Stasi z każdą minutą. – Sylwetki się popowiększa i będą wystawały znad zdjęć produktu!

– Na pewno da się tych ludzi powiększyć, prawda, Jarosławie? – pytanie Bernarda wyraźnie sugerowało odpowiedź.

– Oczywiście, że się da – wycedził mój kreatywny. – Trzeba będzie tylko powiększyć ich naprawdę bardzo. Żeby było widać, że trzymają się za ręce. Stracimy wtedy co prawda proporcje i w zestawieniu z Pałacem zakochani będą wyglądali jak para King Kongów, ale nic to. Damy radę! Klient nasz pan!

– No to bardzo się cieszę. – Pani Stasia nie wyczuwała ironii.

– A wie pani, że ja też się bardzo cieszę! – W oczach Jara pojawił się błysk szaleństwa. – Bo te King Kongi przy okazji przesłonią Pałac Kultury. A on jest taki brzydki! I w dodatku od Ruskich. Nigdy za nim nie przepadałem!

– O nie, proszę pana, Pałac musi być widoczny – stanowczo zaprotestowała koszula écru – bo się nam konsumenci nie domyślą, że chodzi o Warszawę.

– Ja tam sądzę, że wciąż będą mieli szansę się zorientować. Na przykład po haśle – zapewnił z drwiną w głosie Jarosław.

– A bo to ludzie czytają hasła – obruszyła się koszula kremowa. – Pałac musi być i już! Tylko może jakiś mniejszy, gdzieś w tle. Że niby ci ludzie patrzą na niego z oddali.

– Na przykład z Ursynowa, tak? – Jaro kpił już w żywe oczy. – A przyszło pani do głowy, że jeżeli zmniejszymy tę budowlę, to nikt nie zauważy, że jest obciągnięta prezerwatywą?

– No i w sumie bardzo dobrze! – ucieszyła się pani Stasia. – Bo ten zabieg właśnie najmniej nam się podoba.

– Ale to przecież sedno całej koncepcji – wtrąciłem nieśmiało.

– Sedno, proszę pana, to dobrze sprzedać produkt – natychmiast pouczyła mnie koszula écru, czyli pani Zosia.

– I nie wprowadzać przy tym konsumenta w błąd – dodała koszula kremowa, pani Gosia. – Bo, widzi pan, my nie mamy w ofercie aż tak wielkich rozmiarów. Największy mamy XXL, ale to raczej dla afrożytkowników, więc na polskim rynku go nie sprzedajemy.

– A słyszała pani może kiedyś o metaforze?! – Jarosław już nawet nie silił się na uprzejmość. – Wiem, trudne słowo, ale Wikipedia na pewno panią poratuje.

– Pan jest niemiły! – stanęła w obronie koleżanki pani Stasia.

– Naprawdę tak to pani odebrała? – Jaro zagrał zdziwienie tak, że stary i młody Stuhr razem wzięci nie zrobiliby tego lepiej. – Ja po prostu chciałem być pomocny...

– Drodzy państwo, wróćmy może do projektu – wtrącił się Bernard, sięgając po kolejny słony paluszek. – Bo jeszcze sporo zostało nam do omówienia.

– Owszem, sporo – zgodziła się pani Stasia. – Przejdźmy więc teraz do hasła.

– Które, niech zgadnę, też jest do wymiany? – spytał drwiąco Jaro.

– No właśnie. To hasło jest jakieś takie mało dynamiczne. I naszym zdaniem wcale nie zachęca do zakupu. Wolałybyśmy jakiś bezpośredni call to action. Coś w stylu: „Warszawiaku, wybierz najlepsze zabezpieczenie!". Z wykrzyknikiem na końcu, rzecz jasna.

– Albo: „Warszawiaku, zabezpiecz się ASAP!" – wtrąciła swoje trzy grosze pani Gosia. – Oczywiście też z wykrzyknikiem na końcu. Żeby to wołało...

– O pomstę do nieba? – dokończył Jaro.

Kątem oka spojrzałem na Bernarda. Nerwowo pochłaniał paluszka za paluszkiem.

– Nie, no teraz to już pan przesadził – zdenerwowała się pani Zosia. – Dla mnie hasło Gośki jest trafione w dziesiątkę. Zostajemy przy nim, prawda dziewczyny?

– Zostajemy! – chórem odpowiedziały koleżanki.

– Cóż, pozostaje mieć nadzieję, że haseł rzeczywiście nikt nie czyta – mruknął pod nosem Jaro.

– OK, czyli kwestię zdjęć produktów mamy już załatwioną. Pałacu i hasła też – podsumowała pani Stasia. – Przejdźmy może zatem do tła. Dlaczego noc, panie Jarosławie?

– Co prawda już to wyjaśniałem, ale z dziką rozkoszą powtórzę: bo to właśnie nocą ludzie najczęściej uprawiają seks, a przy tej czynności przydają się prezerwatywy.

– No niby tak, ale czy nie ładniej byłoby dać tu jednak dzień? I błękitne niebo? I słoneczko? – rozmarzyła się pani Stasia. – To by tworzyło taką pozytywną, radosną atmosferę wokół naszych produktów. Prawda, dziewczyny?

– O tak! Dzień będzie dużo lepszy – zgodziła się koszula kremowa. – I wtedy zamiast ciemnych sylwetek damy zdjęcia prawdziwych ludzi. W kolorze. Atrakcyjnych. W przedziale od osiemnastego do trzydziestego piątego roku życia. Żeby nam się target identyfikował.

– I muszą być uśmiechnięci – dodała koszula écru. – Żeby było widać, że cieszą się z możliwości stosowania naszych produktów. Trzymanie się za ręce zostawiamy. To akurat wymyślili panowie całkiem nieźle. Aha, dziewczyny, żebyśmy nie zapomniały. Jest jeszcze kwestia logo.

– No właśnie, logo – ożywiła się pani Stasia. – Chciałybyśmy je trochę powiększyć. I przenieść na górę. Dajmy je na przykład obok słońca.

– Albo zamiast! – wypaliła koszula kremowa. – Że to niby produkty Gummy Love rozświetlają życie warszawiaków.

– Dobre, Zośka! – Zaklaskała w dłonie koszula écru.

– No to chyba temat mamy ogarnięty. Kiedy mogłybyśmy zobaczyć projekt po poprawkach? Dacie panowie radę na jutro? – zasugerowała termin pani Stasia.

– A po co czekać aż do jutra? – Jaro wyciągnął z teczki blok techniczny A3. – Narysuję to paniom od ręki.

I narysował. Sześć wielkich paczek kondomów na pierwszym planie. W centralnym miejscu layoutu trzymający się za ręce Ken i Barbie. Maciupeńki Pałac Kultury na drugim planie. A nad tym wszystkim logo Gummy Love promieniujące słonecznym blaskiem.

– I jak się paniom podoba? – zapytał, podsuwając rysunek trzem gracjom.

– No, teraz jest naprawdę super! – ucieszyła się pani Gosia.

– O to właśnie nam chodziło! – z uznaniem pokiwała głową pani Zosia.

– I nie można było tak od razu? – zapytała retorycznie pani Stasia.

– Ależ można było – zgodził się Jarosław. – Sam nie wiem, dlaczego wcześniej na to nie wpadłem. Może dlatego, że musiałbym cofnąć się mentalnie do poziomu sześciolatka. A w moim wieku przychodzi to człowiekowi już z pewnym trudem.

Słysząc to, Bernard aż zakrztusił się słonym paluszkiem.

– A mi tam się ten nowy projekt podoba. I to bardzo – upierała się pani Gosia. – A przez całą szkołę miałam piątkę z plastyki. Więc chyba wiem, co mówię.

– Rozumiem, że ta szkoła była taka bardziej specjalna? – nie wytrzymał Jaro. – Bo ten projekt można określić tylko jednym polskim rzeczownikiem: kupa. Ewentualnie dorzucając przymiotnik: rzadka.

Feralny paluszek chyba wpadł Bernardowi nie w tę dziurkę. Prezes rozkasłał się na dobre, rozpaczliwie machając ramionami.

– Pan mnie obraża! – Twarz pani Gosi wyraźnie poczerwieniała.

– Wręcz przeciwnie, droga pani, to pani obraża mnie. Kompletnym brakiem szacunku dla mojej pracy, wiedzy i doświadczenia. Wspólnie z koleżankami w pięć minut zmasakrowała pani starannie przemyślany projekt, na który konsumenci z pewnością zwróciliby uwagę. I który pomógłby zbudować mocny, rozpoznawalny wizerunek państwa marki. Tę kampanię z łatwością moglibyśmy przełożyć potem na inne polskie miasta. Bo każde ma przecież jakąś znaną falliczną budowlę, na którą da się naciągnąć prezerwatywę Gummy Love. Ale nie, lepiej straszyć ludzi jakąś totalną sieczką.

Kaszel Bernarda wzmagał się z każdą chwilą. Biedak o mało się nie udusił. I to własnoręcznie, bo w panice zacisnął sobie dłonie na gardle.

– Cóż, to pańskie zdanie – wpadła mu w słowo pani Stasia. – My mamy zupełnie inne. Po naszych poprawkach projekt jest o wiele lepszy. No i to my jesteśmy tu klientkami. Więc to my decydujemy.

– A jak wzywa pani hydraulika, to jest pani klientką? – spytał Jarosław.

– No oczywiście.

– I pani decyduje, jak i do czego facet ma podłączyć rurę?

– No nie... W końcu to fachowiec.

– A jak idzie pani do lekarza, to pani decyduje, na co jest chora i jak to leczyć?

– Oczywiście, że nie. Lekarz wie najlepiej.

– No właśnie. Ale kiedy przychodzi pani do agencji po projekt billboardu, to tutaj już pani jest fachowcem i pani wie najlepiej, tak?

– No też coś! Do lekarza się pan będzie porównywał! Jest chyba pewna różnica, prawda?

– W tym kontekście jedynie taka, że ja nie wypisuję recept.

– Proszę mi tutaj nie wyjeżdżać z żadnymi kontekstami, dobrze? Bo prawda jest taka, proszę pana, że projektować to każdy może.

– Ale nie każdy powinien. Pani na przykład absolutnie nie. Dłonie naszego prezesa, gdyby nie majstrowały akurat przy jego własnym gardle, na pewno zacisnęłyby się na gardle Jarosława.

– Dość tego! Co pan sobie wyobraża?! – głos pani Stasi zaczynał się łamać.

– Ale pyta pani tak ogólnie czy chodzi pani raczej o tę konkretną chwilę? Bo teraz akurat próbuję wyobrazić sobie, że jest pani istotą myślącą. Niestety, słabo mi to idzie.

– Pan jest skończonym chamem! – W wielkich oczach pani Stasi pojawiły się łzy.

– Proszę wyjść! Ale już! Bo wezwę ochronę! – wydarła się na Jarosława pani Gosia. – Tam są drzwi!

– Tak jest, wynocha stąd! I to natychmiast! – zawtórował jej Bernard, zakończywszy wreszcie walkę ze zdradzieckim paluszkiem.

– Cóż, i tak się już trochę zasiedziałem – burknął Jaro, podnosząc się z krzesła.

Wychodząc, zgarnął jeszcze paczkę cameli leżącą na moim plecaku. A tyle już nie palił. Przez kolejnych parę minut pani Stasia płakała w głos, pani Gosia głaskała ją po włosach, a pani Zosia podawała jej chusteczki. To się nazywa team work!

Kiedy pani Stasi trochę się już polepszyło, Bernard rzucił się do przepraszania za zachowanie Jarosława.

– Ten człowiek już u mnie nie pracuje! Wylatuje z końcem miesiąca! Na bruk! – zakończył mocnym akcentem.

– No, mam nadzieję! – Wizja Jarosława na bruku, może nawet głodnego i przemarzniętego na kość, wyraźnie ucieszyła panią Stasię.

– Panie Bernardzie, będę z panem szczera – przemówiła pani Zosia, koszula écru – najchętniej zerwałybyśmy współpracę z pańską agencją. Ze skutkiem natychmiastowym.

– W pełni to rozumiem. – Pokłady empatii Bernarda były doprawdy nieprzebrane.

– Jednak z uwagi na zbliżający się wielkimi krokami start naszej kampanii billboardy na Warszawę muszą być gotowe ASAP. Nie mamy czasu na zaczynanie wszystkiego od nowa. Z tego i tylko z tego powodu dokończymy ten projekt z państwem. Ale uczciwie zaznaczam, że w zaistniałej sytuacji będziemy oczekiwały od pana znacznego obniżenia cen.

– Zrobię wszystko, aby spełnić również te oczekiwania – obiecał Bernard. – Właściwie możemy omówić tę kwestię nawet teraz.

– Doskonale, co pan proponuje? Zamieniamy się w słuch.

– Arturze, czy mógłbyś, proszę, zostawić nas na chwilę samych?

Wyszedłem na parking. Jaro siedział po turecku na świeżo wywoskowanej masce samochodu Bernarda i ćmił papierosa. Dołączyłem. Paliliśmy w milczeniu.

– Podjąłem decyzję – oznajmił po chwili. – W przyszłym miesiącu wracam do klasztoru. Jestem zmęczony wykonywaniem jedynego na świecie zawodu, w którym płacą mi za to, żebym pracował grubo poniżej swoich kompetencji. Poddaję się.

W drodze powrotnej atmosfera w samochodzie gęstniała z minuty na minutę. Jaro wrzeszczał na Bernarda, że nie ma za grosz szacunku dla swoich ludzi i ich ciężkiej pracy. Że za kasę to by się wyrzekł nawet rodzonej matki. Że przy pańciach z marketingu ma asertywność mniejszą niż narkoman na głodzie. Że nie potrafi bronić dobrych projektów. I że niedługo będzie miał w portfolio same gówna. A on, Jarosław, żadnych gówien swoim nazwiskiem firmować nie zamierza. Więc niniejszym składa wypowiedzenie. Bernard na to, że Jaro nie ma zielonego pojęcia o biznesie. Że z takim podejściem to w tydzień doprowadziłby każdą agencję do bankructwa. Że nie potrafi pójść na żaden kompromis. Że to przez jego upór i głupotę straciliśmy Bella Donnę, a teraz prawie i te kondomy. I że jeżeli ma wybierać między zadufanym kreatywnym a chcącym wydać pieniądze klientem, to wybiera to drugie. Dlatego niniejszym Jarosława zwalnia. Pouczył go jeszcze, że to klient płaci, więc ma prawo wymagać. I że klientowi zawsze trzeba dać to, czego sobie życzy.

– A gdyby klient zażyczył sobie, żebyś zdjął portki, wsadził piórko w dupę i przedefilował Nowym Światem, to też byś mu to, kurwa, dał?! – spytał zrezygnowany Jarosław. – Zresztą lepiej nic już nie mów. Znam odpowiedź.

***

Na pożegnanie z firmą Jaro zaprosił nas do dobrej knajpy. Wszystkich. Jednak nie wszyscy przyszli. Nie było Białej ani Bernarda. Atmosfera na tym specjalnie nie ucierpiała. Koleżanki poetki i tak nikt za bardzo nie lubił, a przy prezesie nikt nie umiał się wyluzować. A tak bawiliśmy się bez hamulców. I aż do zamknięcia. Jarosław, kiedy już wyściskał i powsadzał w taryfy Helgę, Marleya, Mieszka (który, o dziwo, pojawił się na kolacji, choć dobrze wiedział, że ja też będę), Zbiga, Grega, cycatą Martę i producenta Mariusza, mnie i Kotu zaproponował jeszcze małą dogrywkę w swoim „lofcie". Zaznaczył, że to, co ma do picia, nie pochodzi z piwnic klasztoru braci alienatów, ale z normalnego spożywczaka na Mokotowie. I rzeczywiście, na znanym nam już stole z europalet czekał na nas czarny Jaś Wędrowniczek.

Tym razem Jaro spożywał razem z nami. Chyba uznał, że to niezły moment, żeby zrobić wyjątek od swojej surowej reguły. Kiedy prawie cały Jaś nam już wywędrował, naszemu byłemu już dyrektorowi włączył się mentor kaznodzieja. Zaprawdę powiadał nam, że obaj z Kotem mamy do wypełnienia dziejową misję. On, legendarny Jarosław, niniejszym ceduje na nas dźwiganą dotąd na własnych, steranych barkach odpowiedzialność za dobrą kondycję polskiej reklamy. Zobowiązuje nas do twardej i bezkompromisowej walki o najwyższe standardy – intelektualne, językowe i estetyczne. Bo w czasach wszechobecnej komercji nie kto inny jak właśnie copywriter jest arbitrem dobrego smaku. Perorował, że jeżeli już musimy przerywać Bogu ducha winnemu konsumentowi oglądanie ulubionego serialu, to mamy obowiązek wypełnić mu tę przerwę czymś naprawdę ciekawym, pouczającym lub przynajmniej zabawnym. I nie wolno nam zaśmiecać przestrzeni publicznej takimi paskudztwami jak te billboardy Gummy Love. Bo takie rzeczy są jak psie kupy na trawniku. Do natychmiastowego posprzątania. Bardzo nas obu żałował. Bo siły wroga niestety przeważające. Nieprzebrane, barbarzyńskie hordy marketingowych klonów stoją już u bram. Po zęby uzbrojone w swoje śmiercionośne ASAP-y. My tymczasem nawet za bramami nie jesteśmy bezpieczni. Bo gdzieś z tyłu czai się zdradziecki ekant, gotów przy pierwszej lepszej sposobności zatopić nam nóż w plecach.

Język coraz bardziej odmawiał Jarosławowi posłuszeństwa. Powtarzał już tylko, że biada i że trzeba się ratować. Pospieszyliśmy więc na ratunek, wlokąc go do sypialni. Umościliśmy go w jego gigantycznym hamaku. Kot zaraz się zmył. Przypomniał sobie, że następnego dnia zawozi matkę na jakieś groby, a matkę ma się przecież tylko jedną, więc adios, amigo. Ja zostałem. Ktoś musiał mieć oko na Jarosława. Na wypadek gdyby się przebudził i na przykład zapragnął nauczać dalej, tym razem na klatce schodowej lub, co gorsza, na ulicy. Pooglądałem sobie jeszcze trochę telewizję i zasnąłem na kanapie.

Obudził mnie zapach świeżej kawy. To Jaro wjechał do salonu ze śniadaniem.

– Słuchaj, nie bardzo pamiętam, jak wczoraj trafiłem do łóżka – wyznał. – Ale trafiłem. Więc dzięki.

– Zawsze do usług – odpowiedziałem, nakładając jajecznicę na talerz.

– To miło, że tak stawiasz sprawę. A skoro tak... jesteś dziś może wolny?

– Jak ptak.

– A odwiózłbyś mnie do alienatów? – spytał prosto z mostu. – Wiesz, byłoby mi raźniej...

– Pewnie, tylko jak wiesz, nie mam samochodu.

– Ale tak się składa, że ja mam. Pojedziemy moim. Klasztor jest pod Koninem. Obrócisz w cztery godzinki. Tylko potem odstaw wóz z powrotem. Albo wiesz co? Po co ma się

159

kurzyć w garażu. Jak chcesz, to sobie z niego korzystaj. Dopóki nie kupisz własnego. Co ty na to?

– No wiesz, wielkie dzięki. Naprawdę piękny gest. Tylko nie wiem, czy odpowiedzialność mnie nie przerośnie. Co zrobię, jak mi go ukradną? Albo porysują? Za cholerę się nie wypłacę.

– E tam, mam takie ubezpieczenie, że cokolwiek by się stało, to i tak będę do przodu. Więc jak? Wchodzisz w to?

– Skoro nalegasz...

– Aha, jeszcze jedno: parę dni temu dałem w sieci ogłoszenie o sprzedaży mieszkania. I jest jeden mały problem. Nie za bardzo będę w stanie pokazywać lokal potencjalnym kupcom. Wiesz, dwustu kilometrów ot tak nie przeskoczę. Pomyślałem sobie, że może chciałbyś tu trochę pomieszkać. Zaznaczam, że nie mam nic przeciwko gościom i imprezom. Mógłbyś czuć się jak u siebie. Tylko od czasu do czasu musiałbyś tu ogarnąć, żeby poprowadzać chętnych? Zainteresowany? Nie ukrywam, że bardzo byś mi pomógł.

– Cóż, mama uczyła, żeby pomagać potrzebującym. – Uśmiechnąłem się na myśl o panoszeniu się na stu metrach kwadratowych. – Możesz na mnie liczyć.

– Tak? No to bardzo się cieszę. Tu masz klucze, pilota do bramy garażowej i kartkę z kodem do klatki. A teraz, proszę, ruszajmy. Chciałbym dojechać na miejsce przed wieczornym nabożeństwem.

W stronę Konina jechałem jeszcze mocno speszony. Na każdych światłach wywoływaliśmy sensację. W tamtych czasach nawet gwiazdy tefałenów nie rozbijały się jeszcze porszakami. Mniej więcej w połowie drogi włączył mi się bojownik o prawa zwierząt. Zacząłem odczuwać palącą potrzebę wypuszczenia na wolność tych dwustu osiemdziesięciu dwóch koni czystej krwi niemieckiej niecierpliwie przebierających kopytami pod maską. Żeby sobie pobiegały. Powstrzymałem się jednak. Bałem się, że Jarosław zabierze mi kluczyki i przesadzi mnie do PKS-u. Wracając, nie miałem już żadnych obiekcji. Wyprzedzałem wszystkich. Wiedziałem, że to żenada. Ale miałem to w dupie. Czasem człowiek musi zrobić sobie małe *carpe diem*. W Warszawie otworzyłem okna, podkręciłem muzykę na full i wywaliłem łokieć za szybę. W tempie spacerowym zrobiłem nadprogramową rundkę po Centrum, od czasu do czasu trąbiąc na co ładniejsze panienki. Jak Murzyn z getta, który zbyt szybko dorobił się fortuny, rapując o biedzie, w której dorastał.

Kiedy dotarłem do „loftu", otworzyłem kupioną po drodze butelkę whisky i rozwaliłem się na kanapie przed wielką plazmą Jarosława. Zapaliłem camela. Żyć nie umierać. Wreszcie są! Fura i loft. Nie w sensie ścisłym. Nie do końca moje. Ale są!

***

W poniedziałek Bernard znów wezwał wszystkich do konferencyjnej.

– Jak wiecie, od dziś nie ma już z nami Jarosława – zagaił – dlatego konieczne będą pewne zmiany. Myślę, że nadszedł odpowiedni moment, żeby przedstawić wam nową strategię rozwoju naszej agencji.

Znów musieliśmy wysłuchać przydługiego, przyciężkiego monologu. Że dużo ostatnio myślał i ma pewne głębsze refleksje. Że czasy są ciężkie, a ATL na pstrym koniu jeździ.

Więc on, ojciec nasz troskliwy, postanowił dla naszego wspólnego dobra skoncentrować się w dziewięćdziesięciu dziewięciu procentach na BTL-u. Że on ma już swoje lata. Bardzo ostatnio dojrzał. I w związku z tym stawia na długofalowe bezpieczeństwo finansowe, własne i całej firmy. Zamiast na piękne wprawdzie, ale jakżeż ulotne chwile ATL-owych uniesień. Dlatego też zdecydował się pozyskać dla nas kolejną BTL-ową stałkę. Folder produktowy Niemieckiego Elektropotentata. Miesiąc w miesiąc dwadzieścia stron A4. Myjki ciśnieniowe, kosiarki akumulatorowe, piły tarczowe, elektryczne sekatory, wiertarki udarowe i masa innych fajnych – jak się wyraził – produktów. Na pewno świetnie sobie z tym poradzimy. Bo przecież nie tak dawno robiliśmy dla tego klienta kampanię billboardową. Więc jesteśmy z tematem na świeżo.

– I co, już nie będzie przetargów? – spytał zawiedziony Kot.

– Ależ będą. Jeśli tylko czas pozwoli. – Chytry uśmiech Bernarda sygnalizował, że raczej nie pozwoli. – Ale nie będą już dla nas priorytetem. Raczej miłym dodatkiem.

Następnie płynnie przeszedł do kwestii personalnych. Ogłosił, że nowym szefem kreacji będzie Helga – jako posiadająca największe doświadczenie w BTL-u. Na koniec zostawił prawdziwą bombę. Biała już nie będzie z nami pracować. Przynajmniej nie na miejscu, w agencji. Najwyżej trochę z domu, a i to nie na pewno. Bo, jak się być może sami już domyśliliśmy, dziewczyna jest w ciąży. Tu nas zaskoczył. Żadne z nas oczywiście niczego się nie domyślało. Biała ostatnio rzadko pokazywała się w robocie. A jeśli już, to i tak nikt nie zwracał na nią uwagi. Była ciałem obcym.

Obcym, ale jednak ciałem. I to przez kogoś, jak widać, pożądanym. Hm, ciekawe przez kogo? Próbowaliśmy wybadać, czy Bernard coś wie. Ale on tylko się oburzył, że tak bezczelnie ingerujemy w prywatność koleżanki.

– Odchodzę – oznajmił Kot, jak tylko weszliśmy do naszej klitki. Odpalił kompa i z miejsca zaczął szukać nowej roboty. – Pieprzę BTL. Szefową Helgę zresztą też. Znikam stąd, jak tylko coś znajdę.

Jak powiedział, tak zrobił. Już w piątek położył na biurku Bernarda wymówienie. Ze skutkiem natychmiastowym. Umowa o dzieło ma jednak swoje plusy.

Po robocie zaprosił mnie na piwo i poinformował, że jest po słowie z jedną wielką sieciówką. Biorą go od zaraz. Na senior copywritera. W dziale ATL-owym. Dają szóstkę na rękę. I to na umowę o pracę. I dorzucają prywatne ubezpieczenie zdrowotne oraz karnet na basen. Jeszcze wyściskał mnie serdecznie i powiedział, że świetnie mu się ze mną pracowało. Jak rzadko z kim. I że – ma nadzieję – będziemy nadal spotykać się prywatnie. Mówiąc to, zdjął nawet te swoje ciemne okulary w stylu wczesnego Bono. Po raz pierwszy i ostatni zobaczyłem wtedy jego oczy. I przyznam, że byłem trochę zawiedziony. Żadnego zeza rozbieżnego ani innego bielma. Ot, zwykłe oczy.

Nie docierało do mnie, że właśnie tracę, nie bójmy się tego niemałego słowa, przyjaciela. Bo człowiek odchodzący z twojej agencji do innej, zupełnie nie twojej, niestety przestaje być przyjacielem. Staje się konkurencją.

RUNDA SZÓSTA

I tak, właściwie z dnia na dzień, zostałem sam. Jedyny copywriter w agencji. Z czterema BTL-owymi stałkami u szyi. Co prawda miałem już tylko pisać teksty. Sczytywała je profesjonalna korektorka. Bernard, naciskany przez producenta Mariusza, zatrudnił takową na ćwierć etatu. Ale i tak nie było różowo. Dzień w dzień dziesięć godzin harówki. Dwie godzinki paraleków, dwie kredytów hipotecznych, dwie przecenionej spożywki i dwie niemieckich elektronarzędzi. Pomieszanie z popłątaniem. Najszybszy skrót do wariatkowa. Szybszego nie wskażą nawet Google Maps. Na zakończenie dnia jeszcze dwie godziny retuszy i poprawek. I to wszystko z Helgą nad głową. Całą przejętą swoją nową, jakżeż odpowiedzialną rolą. Wciąż nerwowo pokrzykującą, żeby szybciej. Stale zaaferowaną, czy aby każdy klient dopieszczony. Koszmar, którego nie była w stanie mi osłodzić nawet podwyżka. Bo Bernard szarpnął się na pięć tysięcy netto. Jakoś trzeba było mnie zatrzymać. Ktoś musiał mu te jego stałki poubierać w dające się sprzedać słowa.

W tym czasie ATL widywałem tylko w telewizji i na mieście. Raz nawet zostaliśmy zaproszeni do przetargu. I to na telewizję. Przez koreańskiego producenta laptopów. Ale nie było grafika, z którym mógłbym do tego usiąść. Heldze brakowało czasu nawet na stałki. Alf od dawna dąsał się na Bernarda za to, że pozwolił Jarosławowi odsunąć go od agencyjnego koryta. Innych freelancerów nie braliśmy pod uwagę. Robienie tak poważnego projektu z kimś niesprawdzonym to zbyt duże ryzyko. Nawali, a my będziemy świecić za niego oczami.

Zaledwie kilka tygodni po Kocie wymówienie złożył Zbig. Stwierdził, że jeszcze jedna stałka i oni w DTP będą srać bokami. A on osobiście w ten sposób srać nie zamierza. Więc jest zmuszony zrobić krok, na który w innej sytuacji może by się nie odważył. Otwiera studio tatuażu. O nazwie Dziary Mary. Sięga po marzenia, a co tam. Na rzeczy się zna, bo przecież sam projektował wszystkie swoje dziary. A ma ich trzydzieści parę. Spytałem, czy ma już na oku jakiś lokal. A on, że owszem, w Fortach Mokotowskich. I że ta miejscówka robi się modna. Wszyscy możemy tatuować się u niego za friko. Kiedy tylko chcemy. Serdecznie zaprasza. I tyle go widzieliśmy.

Jakby tego było mało, Mieszko przyjął ofertę pracy w bardzo znanej agencji interaktywnej. Strony WWW i kampanie sieciowe na cały etat. A jeszcze nie tak dawno upierał się, że te wszystkie, pożal się Boże, działy internetowe to dla niego za niskie progi.

Prezes musiał jakoś zareagować na ten exodus. Logiczne wydawało się przyjęcie nowych ludzi. Ale Bernard miał inną koncepcję. Oznajmił, że odejścia chłopaków są mu w sumie na rękę. Media trąbią, że kryzys za pasem, więc nie oszukujmy się, im mniej osób na liście płac, tym lepiej.

W tak niepewnych czasach nawet on, sprawny zarządca i gospodarczy wizjoner, nie mógłby zagwarantować większej liczbie pracowników trwałego zatrudnienia i godnych zarobków. A mniejszej liczbie owszem, może. Więc pozostaje nam zewrzeć szeregi i jakoś tę zapaść rynkową przetrwać. Najlepiej w mniejszym biurze. Bo w obecnym zaczynamy mieć spory nadmetraż, za który nie ma przecież sensu płacić. I tak pierwszego dnia wiosny roku 2003 agencja Bernarda przeniosła się do czteropokojowego mieszkania w apartamentowcu nieopodal parku Morskie Oko.

Najbardziej żałowałem Tłustych Czwartków, na które w tych warunkach nie było miejsca. Brakowało mi też kibelka obok gabinetu Bernarda i aktualizowania danych na frapujące tematy. Siedzenie w jednym pokoju z Helgą i Marleyem też niespecjalnie mi odpowiadało. Ich praca wymagała głośnej wymiany myśli. Moja – dłuższych chwil względnej ciszy. Dlatego już po kilku dniach pisałem ze stoperami w uszach.

Po robocie od razu wracałem do „loftu". To był mój azyl. Siedziałem na tarasie i paliłem, patrząc na coraz bardziej zielone Łazienki. I na ludzi. Spacerujących wśród drzew. Trzymających się za ręce. Leniwie rozpartych na ławeczkach. Wylegujących się na świeżo skoszonej trawie. Karmiących bulimiczne kaczki. Podziwiających lanserskie ogony pawi. Pstrykających fotki namolnym wiewiórkom. Popychających przed sobą wózki ze szczęśliwie uśpionymi dziećmi. Pochłaniających kolorowe lody. Wylewających siódme joggingowe poty. W życiu wielu z tych ludzi byłem ostatnio stale obecny. Wystarczyło, że odpalili telewizor albo samochodowe radio, a ja już tłoczyłem im

do głowy swoje podprogowe komunikaty. Zręcznymi slo-
ganami czyściłem im portfele i zapychałem szafy niepo-
trzebnym badziewiem. Mówiłem im, co jeść. I co pić. Co
założyć. A co zdjąć. Czym jeździć. I dokąd. Oby jak najda-
lej ode mnie.

W weekendy organizowałem towarzyskie nasiadówy
z procentami. Najczęściej zapraszałem Marleya, który
zawsze przynosił jointy. Oraz Grega, który okazał się świet-
nym kompanem do kieliszka. Mocny łeb plus talent pole-
miczny. Wpadała też cycata Marta. I choć czasem zostawała
na noc, a jej monstrualny biust mrugał do mnie porozumiewawczo spod piżamki, to jakimś cudem udało mi się uchro-
nić ode złego szlachetną platoniczność naszej relacji. Za to
kontakty z Kotem trochę mi się rozluźniły. W swojej obec-
nej, na wskroś BTL-owej sytuacji jakoś nie potrafiłem słu-
chać o jego licznych ATL-owych sukcesach w sieciówce.
O tych wszystkich intelektualnych przekrętkach, które two-
rzył. O odjechanych koncepcjach, które wymyślał ze swoim
teamem. O ich wielkich kampaniach.

„Cywilów" spoza agencji nie zapraszałem. Nie, żebym nie
chciał. Bywało, że chciałem. Ale chcieć to nie zawsze móc.
Ja żadnych „cywilów" od dawna już nie znałem.

***

Po długim weekendzie majowym Bernard uraczył nas wia-
domością o kolejnym bohatersko zdobytym stałym zlece-
niu. Tym razem na ulotki dla Wszechobecnej Telewizji
Kablowej, z którą już kiedyś przelotnie współpracowaliśmy.
Telewizja, internet, telefon. W różnych konfiguracjach i pa-
kietach. Co miesiąc aktualizacja.

– A tak konkretnie, to ile miesięcznie będzie tych ulotek? – zapytała czujnie Helga.

– W sumie sześć. Po cztery strony A5 – odparł prezes.

– Rozumiem, że w takim razie zamierzasz nas sklonować, co?! Bo my, kurwa, i tak już robimy bokami. Nawet bez tych twoich zajebistych ulotek...

– Po pierwsze, bądź łaskawa się nie wyrażać – wpadł jej w słowo Bernard. – A po drugie, nie chwaląc się, przewidziałem, że będziecie piętrzyć problemy. Ale problemy są po to, żeby je rozwiązywać, prawda? No to znalazłem kogoś, kto je za was rozwiąże.

W tym momencie zadzwonił dzwonek przy drzwiach wejściowych.

– W samą porę – ucieszył się prezes i potruchtał otworzyć.

Wrócił w towarzystwie wysokiego, gładko ogolonego i zaczesanego na bok faceta w garniturze za parę tysięcy. Spinki w mankietach jego koszuli jaśniały złociście. Bardzo dyskretnie jednak w porównaniu z wysuwającym się spod lewego mankietu szczerozłotym, półkilogramowym rolexem.

– Moi drodzy, poznajcie pana Jerzego – przedstawił gościa Bernard. – Pan Jerzy przez ostatnich kilka lat odpowiadał za maksymalizację wydajności pracy w jednej z największych międzynarodowych korporacji. Obecnie ma własną firmę konsultingową, która doradza w tym zakresie innym firmom. Zaprosiłem go więc do naszej, bo, jak sami mówicie, nie wyrabiacie się z realizacją zadań.

– Dzień dobry – pan Jerzy powitał nas głębokim, starannie modulowanym głosem spikera radiowego. – Pozwolą państwo, że na wstępie przybliżę charakter świadczonych przeze mnie usług. Otóż moja firma Maximum Efficiency zajmuje się przede wszystkim implementacją najnowocześniejszych procedur monitorowania pracy projektowej oraz poszukiwaniem rezerw drzemiących w zespołach wykonujących taką pracą. Ostatnie badania przeprowadzone na reprezentatywnej grupie tysiąca niewielkich polskich przedsiębiorstw dowodzą ponad wszelką wątpliwość, że pracownicy takich podmiotów wykorzystują efektywnie zaledwie nieco ponad połowę nominalnego czasu swojej pracy. Jak państwo widzą, mamy co poprawiać. – Przez jego twarz przemknął uśmiech ubóstwiającego swoje zajęcie poganiacza niewolników na plantacji bawełny. – Dodam, że w firmach klientów wdrażamy również autorskie systemy motywacji pracowników. Ponadto oferujemy usługi z zakresu team buildingu i coachingu indywidualnego. Oczywiście skuteczność naszych działań zależy w dużej mierze od pozytywnego nastawienia zespołu, z którym pracujemy. Najważniejsze jest wzajemne zaufanie. A o nie niełatwo, kiedy ludzie są ze sobą na pan lub pani, prawda? Dlatego proponuję państwu przejście na ty. Mówcie mi Jurek.

Ja tam ufać mu nie zamierzałem. Jakoś mi się nie spodobał. Nie zamierzałem też w żaden sposób się z nim spoufalać. Ani mówić mu Jurek. Wolałbym już mówić Jurek Marleyowi, Gregowi albo nawet Heldze.

Gość wygłosił jeszcze parę okrągłych zdań i poprosił o pytania. Ale żadne pytania nie padły. Wszystko było już dla nas boleśnie jasne. Kiedy wyszedł, zapadła grobowa cisza. Tylko Helga zaklęła pod nosem. Siarczyście nawet jak na nią.

***

Następnego dnia Bernard pozwolił nam przyjść do pracy dopiero na dwunastą. O dwunastej elegancki pan Jerzy był już w firmie. W towarzystwie drugiego garniturowca, którego przedstawił jako specjalistę od implementacji systemów. I rzeczywiście, na naszych kompach to i owo było już poimplementowane. Przede wszystkim specjalna aplikacja do monitorowania naszej pracy na bieżąco. Teraz Bernard nie musiał już łazić po pokojach i podpytywać, czym kto akurat się zajmuje i na jakim jest etapie. Wystarczyło, że wklikał się w wybrany projekt i wszystko miał jak na talerzu. Na przykład, że do aktualnego numeru gazetki Top Mediki status „GOTOWE" ma sześćdziesiąt procent tekstów. Czyli że copywriter Artur wisi firmie jeszcze czterdzieści procent. A ponieważ deadline jest za dwa dni, to ewentualne wyjścia copywritera Artura na obiad są w tych dniach, delikatnie rzecz ujmując, niewskazane.

Innym pomysłem Maximum Efficiency były time sheety, czyli arkusze ewidencji czasu pracy. Diabelstwo rodem z korporacji. Włączało się to to automatycznie z chwilą odpalenia kompa. I wyłączało razem z nim. Taki arkusz należało aktualizować co godzina, wpisując, nad czym się w danym czasie siedziało. Dzięki temu prezes zawsze mógł podejrzeć, kto o której przyszedł i kto o której zawinął się do domu. A także czym taki ktoś zajmował się przez cały dzień. Godzina po godzinie. Na przykład we wtorek copywriter Artur włączył kompa punktualnie o dziewiątej i zamknął go minutę przed dziewiętnastą. Ergo przepracował prawie dziesięć godzin. Ergo wyrobił prawie sto dwadzieścia pięć procent dobowej normy. Biorąc ten dzień jeszcze bardziej pod lupę, można było się przekonać, że pierwszą połowę dnia copywriter Artur longiem przesiedział nad Bankiem Godnym Zaufania. A potem, mniej więcej co godzinka, skakał już sobie z kwiatka na kwiatek. A to Tani Dyskont Spożywczy. A to Top Medica. A to znów Niemiecki Elektropotentat.

Bernard promieniał. Zabawa w Wielkiego Brata ewidentnie mu się spodobała. My też szybko nauczyliśmy się w to bawić. Pierwsza przychodząca rano osoba od razu włączała wszystkie kompy w pokoju. Dzięki temu cała nasza trójka skutecznie unikała spóźnień. Podobnie było wieczorem. Ostatni wychodzący wyłączał wszystkie kompy. W ten sposób cały zespół kończył pracę o dość późnej porze, tłukąc przy tym od groma nadgodzin. Greg z producentem Mariuszem robili dokładnie tak samo. I nigdy nie zaliczyliśmy wpadki, bo Bernard zwykle przychodził do firmy ostatni, a wychodził pierwszy. Musiał polegać na systemie. A my na to: fuck the system!

W każdy poniedziałek pojawiał się pan Jerzy, by wspólnie z Bernardem analizować nasze time sheety. Co tydzień wyrabialiśmy grubo ponad sto procent godzinowej normy. W dodatku system monitorowania projektów potwierdzał naszą nieprawdopodobną wprost wydajność. Z niczym nie byliśmy do tyłu. Przeciwnie, wyprzedzaliśmy deadline'y. Kolejne poniedziałkowe zestawienia coraz bardziej upewniały Bernarda, że pan Jerzy odstąpił mu, nie tak znowu drogo, patent godny Midasa. I że teraz, dzięki tej dalekowzrocznej inwestycji, on, prawdopodobnie najbardziej innowacyjny wśród prezesów małych agencji, zamienia pracę swoich ludzi w czyste złoto. Tymczasem my po prostu robiliśmy swoje. Wcześniej też byliśmy terminowi. Nic się w tym względzie nie zmieniło. A że nasz szef potrafił to dostrzec dopiero po wpompowaniu paru ładnych tysięcy w jakiś faszystowski system, to już jego broszka.

Mniej więcej miesiąc po zaimplementowaniu szpiegowskiego oprogramowania prezes postanowił wspaniałomyślnie wynagrodzić naszą niezwykłą punktualność i mrówczą pracowitość. Weekendowym wyjazdem nad Zalew Zegrzyński. Do Jachranki. Dwa dni team buildingu z panem Jerzym, którego Bernard nazywał już nie Jurkiem, ale Jureczkiem. Ostro przeginał z adorowaniem swojego nowego bóstwa.

Do Jachranki dotarłem trochę spóźniony. Wjeżdżając na parking, zobaczyłem pana Jerzego w jakimś absurdalnym stroju golfowym. Rolex dumnie połyskiwał w czerwcowym słońcu. Zaparkowałem świeżo wywoskowanym porsche tuż obok jego passata kombi. Z satysfakcją odnotowałem, że szefowi Maximum Efficiency opadła szczęka. Lekko, ledwie zauważalnie, ale jednak. Na kolana, kupcze, zajechał artysta!

Pan Jerzy poprowadził nas nad zalew, gdzie już czekał jego pomagier. Na oko też golfista. Podzielili nas na dwie grupy. W jednej Helga, Marley i ja. W drugiej Greg, producent Mariusz i cycata Marta. Następnie pan Jerzy wyznaczył nam zadanie mające wzmocnić nasz rachityczny, jego zdaniem, team spirit. Każda grupa musiała zbudować łódkę. Z przygotowanych na brzegu prefabrykatów. Potem, wiosłując gołymi rękami, należało dotrzeć do odległej o jakieś sto metrów boi, zabrać stamtąd proporczyk z logotypem naszej agencji i wrócić na brzeg. Grupa,

która dokona tego pierwsza, wygrywa, udowadniając, że
– jak wyraził się pan Jerzy – nieobcy jest jej zdrowy duch
efektywnej współpracy. Żebyśmy przypadkiem nie poza-
pominali, kto z kim i przeciwko komu, pomagier golfista
rozdał koszulki z wielkim napisem „Maximum Efficiency.
Daj z siebie maksa!". Nasza grupa dostała czerwone. Grupa
producenta Mariusza – żółte. Bernardowi przypadła rola
sędziego. Dostał więc czarną koszulkę i gwizdek, którym
miał dać sygnał do startu.

Pan Jerzy spytał jeszcze, czy wszystko jest dla nas jasne
i czy aby na pewno wiemy, czego się od nas oczekuje. I wtedy stało się coś dziwnego. Nagle poczułem, jak straszna kroi
się tu żenada. Poczułem to każdą komórką ciała. Do bólu. I coś we mnie pękło. W jednej chwili dotarło do mnie, że
największym błogosławieństwem istoty ludzkiej jest poczucie godności. Że bez niego jest ona niczym. I nie ma nic. I że
ja wobec tego nie będą budował żadnej pieprzonej łódki ani
zdobywał żadnego jebanego proporczyka. Zwłaszcza w koszulce zachęcającej mnie do dania z siebie maksa. I że w dupie mam opinię pana Jerzego. I jego pomagiera golfisty.
A nawet sankcje ze strony Bernarda. Enough is enough, kurwa jego mać! Bez słowa cisnąłem czerwoną koszulkę na ziemię, odwróciłem się na pięcie i pomaszerowałem w stronę
auta. Po chwili mknąłem już z powrotem do Warszawy.

Bernard wydzwaniał do mnie jak szalony. Co pięć minut.
Ale nie zamierzałem odbierać. Spokojnie dojechałem
do miasta. Wtedy zadzwonił Zbig. Odebrałem.

– No cześć, stary – człowiek był wyraźnie podekscytowany. – Słuchaj, musimy się spotkać. Koniecznie! Są newsy.
Masz dziś chwilę?

– Tak się składa, że mam.

– No to wpadaj, chłopie, na Forty Mokotowskie. Siedzę u siebie w studio. Akurat skończyłem dziarę dla klienta. Już jestem wolny.

– OK. Będę za kwadrans.

– Super, czekam z zimnym browcem.

***

Studio tatuażu Dziary Mary znajdowało się w czymś na kształt bunkra z czerwonej cegły. Zbig czekał na mnie w drzwiach, popijając piwo z oszronionej butelki. Zaprosił do środka i posadził na skórzanej bordowej kanapie wyciągniętej ze starego cadillaca. Cholernie stylowo, pomyślałem. Podał mi mocno schłodzonego żywca. Stuknęliśmy się butelkami i zapaliliśmy po camelu. Zbig mówił naprawdę ciekawe rzeczy:

– Zaraz po odejściu z agencji poznałem kobietę mojego życia. Ale nie taką jak poprzednie kobiety mojego życia, tylko taką docelową, na poważnie. Ma na imię Marysia i jest księgową. Wiem, stary, co sobie teraz pomyślałeś. Ale ja przecież żadnej księgowej nie planowałem. Tak po prostu wyszło. Miłość nie wybiera.

– Księgowa to żaden obciach – zapewniłem go. – Więc wyluzuj i przejdź wreszcie do rzeczy. Chyba nie po to mnie zaprosiłeś, żeby się tłumaczyć z narzeczonej.

– No nie. Chodzi o to, że Marysia pracuje w biurze rachunkowym, które prowadzi księgi Bernarda. Więc ja ją z ciekawości trochę o te księgi podpytałem. I wyobraź sobie, że ta agencja miesiąc w miesiąc przynosi jakieś sto tysięcy dochodu i prawie sześćdziesiąt tysięcy czystego zysku. Ale to jeszcze nic. Założę się, że nie zgadniesz, co się z tym zyskiem dzieje.

Zanim zdążyłem otworzyć usta, Zbig odpalił swoją największą bombę:

– Większość zysku idzie do niejakiej, uważasz, Zuzanny Kowalskiej. Regularnie są jej wystawiane umowy o dzieło.

– Kowalskiej? Zuzanny? Kto zacz?

– Jak to kto?! – zniecierpliwił się Zbig. – Biała!

Faktycznie! Przecież to nazwisko widniało na tomiku wierszy, który kupiłem, kiedy Biała dołączyła do naszego zespołu. Zuzanna Kowalska. *Statua nicości.* Jak mogłem zapomnieć! Nie ma co, chyba nadeszła dla mnie pora na Bilo-Best firmy Top Medica.

– Sam rozumiesz, że opadła mi kopara – kontynuował Zbig. – No bo jakie, kurwa, umowy o dzieło, skoro wiem od Grega, że Biała już nic dla was nie robi?! Dlatego postanowiłem trochę powęszyć. Marysia wyciągnęła mi z tych umów adres koleżanki Kowalskiej. I parę razy posiedziałem sobie w aucie pod jej blokiem. A ten wóz mam od niedawna, więc pełna konspira. I wiesz, stary, kto codziennie po południu zajeżdża pod blok naszej Zuzi? I kto za chwilę wychodzi z nią za rękę na spacer?

Wolałem usłyszeć to od niego. Czułem, że on też tak woli.

– Bernard! – wykrzyczał triumfalnie.

– Czekaj, czekaj... Czyli że to...

– Dokładnie, stary! Czyli że to na bank jego dziecko! A przez te umowy o dzieło nasz, to znaczy teraz już wasz prezes wyprowadza kasę do siebie do domu. Do swojej laluni! I to w sumie na pełnym legalu! Majstersztyk!

– O żeż w dupę! – W zaistniałej sytuacji nie byłem w stanie zdobyć się na bardziej elokwentną reakcję.

– A wiesz, co o tym sądzi moja Marysia? – Dalibóg, nie wiedziałem. – Ona mówi, że tak robią ludzie, którzy zamierzają zamknąć interes. Że to taki powtarzający się schemat. Dni waszej agencji są policzone!

Widząc, że z wrażenia aż zaniemówiłem, podsunął mi troskliwie kolejne zimne piwo. Pokręciłem przecząco głową. Byłem wozem. Postanowił więc rozluźnić mnie w inny sposób. Pokazał foty swojej Marysi. A miał ich w komórce mnóstwo. Marysia nad PIT-ami. Marysia z jamniczkiem. Marysia na rolkach. Marysia w kucyku i Marysia w rozpuszczonych. Marysia tu i Marysia tam.

– A to cacuszko zrobiłem Marysi w zeszłym tygodniu – oznajmił z dumą, prezentując zdjęcie kobiecego ramienia z wytatuowanym futurystycznym kalkulatorem. – Marzyła o czymś takim.

Powiedziałem, że to super tak spełniać czyjeś marzenia.

Wsiadając do auta, usłyszałem sygnał SMS-a. Prezes. Że zachowałem się wprost skandalicznie. Że uraziłem nie tylko jego samego, ale także jego strategicznego partnera biznesowego. I że w związku z tym w poniedziałek się policzymy. Ja jednak miałem to centralnie w dupie. Odpaliłem porsche i ruszyłem w kierunku Konina.

RUNDA SIÓDMA

Pod klasztor Alienatów zajechałem w porze *Teleexpressu*. Zakołatałem w ciężkie wrota, za którymi kilka miesięcy wcześniej zniknął Jaro. Nic. Cisza. Brak odzewu. Zastukałem ponownie. Trochę bardziej energicznie. Znowu nic. Co jest, kurwa? Nieczynne? Na krucjatę jakąś wybyli? Odczekałem chwilę i przypuściłem kolejny atak na drzwi. Tym razem nawalałem w nie, aż pięści bolały. Poskutkowało. W kilkusetletnim zamku zachrobotało i w uchylonych wrotach ukazała się rumiana twarz znanego mi ze wspólnej degustacji śliwowicy brata Alberta.

– Witaj, Arturze! Szczęść Boże! – Braciszek rozpoznał mnie od razu. – A cóż to cię sprowadza w nasze skromne progi?

– Dzień dobry, Albercie. Ja do Jarosława. Przepraszam, że tak bez zapowiedzi...

– Ależ nie masz za co przepraszać. – Uśmiechnął się dobrotliwie. – Gość w dom, Bóg w dom! Zapraszam do środka.

Uścisnęliśmy sobie dłonie i podreptałem za nim kamienną ścieżką przez buchający czerwcową zielenią wirydarz. Minęliśmy okazały warzywnik. Wewnątrz klasztornego budynku panował ożywczy chłód. Wdrapaliśmy się po krętych schodach na piętro i pokonawszy długi korytarz z czerwonej cegły, stanęliśmy wreszcie przed dębowymi drzwiami celi Jarosława.

– Tu cię zostawiam, Arturze – oznajmił brat Albert. – Sprawa, która przywiodła cię do brata Jarosława z tak daleka, musi być niezwykłej wagi. Nie chcę wam przeszkadzać.

Jaro otworzył prawie natychmiast.

– Witaj, wędrowcze! Czekałem na ciebie. Wypatrzyłem cię już przez okno.

– Cześć, Jarosławie. – Uścisnąłem go serdecznie.

– O, widzę, że się stęskniłeś. – Wyszczerzył zęby w uśmiechu.

– No, może trochę. – Kto nie lubi odrobiny tandetnej kokieterii? – Słuchaj, musimy pogadać...

– Niech zgadnę – wpadł mi w słowo – problemy z Bernardem?

Opowiedziałem mu o panu Jerzym i jego Maximum Efficiency. O monitoringu i faszystowskich time sheetach. O całej tej żenadzie z łódkami i proporczykiem. O Białej i prezesie. I o kasie regularnie wyprowadzanej przez Bernarda z agencji.

– O żeż kurwa! – zaklął pod nosem. – I jestem dziwnie spokojny, że Bóg wybaczy mi te słowa!

– Na pewno wybaczy. W końcu jest miłością.

– I co zamierzasz? – spytał, ignorując moją ironię.

– W poniedziałek składam wymówienie. Podjąłem już decyzję.

– No dobrze, ale co dalej? Masz nagraną inną robotę?

– Nie, ale mam dobry pomysł. A jak sam wielokrotnie powtarzałeś, dobre pomysły są w życiu najważniejsze.

– No to zamieniam się w słuch.

– OK. Mój scenariusz wygląda tak: jutro rano zabieram cię do Warszawy. Zakładamy spółkę i startujemy z własną agencją. Ty projektujesz, ewentualnie robisz proste DTP. Trudniejsze rzeczy wypuszczamy do Zbiga. Na bank się zgodzi, bo ma teraz sporo czasu. Te całe Dziary Mary zajmują mu cztery do pięciu godzin dziennie. Co do mnie, to oczywiście piszę teksty. Zajmuję się też obsługą klienta. Wiesz, tak asertywnie, bez zgniłych kompromisów w stylu Bernarda. Myślę, że dam radę. Przyłożę się, nawet zgolę irokeza. Oczywiście robimy tylko ATL. I bronimy swoich koncepcji do upadłego. To znaczy ja bronię, bo wiem, że ciebie za dużo by to kosztowało. I nie bierzemy żadnego BTL-u. No, może jedną małą stałkę, tak dla bezpieczeństwa. Dajemy sobie rok. Jak wypali, jedziemy dalej. Z rozmachem. Jak uznamy, że to jednak kicha, zamykamy interes i każdy idzie w swoją stronę. I co ty na to?

– Cóż, przyznam, że jestem trochę zaskoczony. Więcej niż trochę. – Jaro podrapał się po wygolonej na łyso czaszce. – Ale przez wzgląd na przejechane przez ciebie kilometry nie mówię od razu „nie". Żebyśmy się jednak dobrze zrozumieli – dodał, widząc moje pełne nadziei spojrzenie; rzeczywiście, wpatrywałem się w niego jak bezdomny szczeniak proszący o ciepły kąt – nie mówię też „tak". Muszę to sobie przemyśleć. Odpowiem ci rano. Przenocujesz tutaj. Wolna cela zawsze się znajdzie.

Z chwilą, w której stawiał kropkę na końcu zdania, rozległ się jakiś dziwny dźwięk. Trąbki? Rogu? Cholera wie.

– Pora na wieczorny posiłek – oznajmił Jarosław. – Chodź, zjesz z nami. Dziś potrawka fasolowa. Na pewno ci zasmakuje.

Poprowadził mnie do refektarza i posadził przy długim stole, gdzie ze dwudziestu mnichów już pałaszowało fasolę. Jaro nałożył nam po czubatej miseczce, przeżegnał się i zaczął jeść. Poszedłem w jego ślady. Żarcie było skromne, ale smaczne. Na szczęście z nikim nie musiałem gadać, bo w obecności przeora braciszkowie skrupulatnie przestrzegali reguły milczenia. Po kolacji Jarosław zainstalował mnie w gościnnej celi i poszedł do siebie myśleć. Chociaż nie było jeszcze dwudziestej, zasnąłem prawie od razu. W ubraniu.

O czwartej rano obudziły mnie klasztorne dzwony. Przy mojej pryczy siedział Jaro.

– Przyniosłem ci śniadanie – powiedział, wskazując na talerz z kanapkami. – Zjedz i ogarnij się trochę. Za godzinę czekaj na mnie pod kaplicą. Wyruszamy zaraz po nabożeństwie.

***

W drodze do Warszawy ustaliliśmy, że zakładamy spółkę jawną, bo z o.o. ma droższą księgowość. Wkładamy w to po dziesięć tysięcy, bo ja akurat tyle mam na koncie. Siedziba agencji będzie u niego na dole, bo na górze będzie mieszkał. Nazwiemy się Brainers, Mózgowcy. Na razie wszystko robimy sami, we dwóch. A po roku, jak obaj będziemy na tak, to się rozbudowujemy i jedziemy dalej – po wielką kasę, mołojecką sławę i prestiżowe nagrody.

Przy lunchu w przydrożnej knajpce Jaro przyznał się, że moja propozycja właściwie spadła mu z nieba. Bo on przez ostatnie miesiące wciąż się wahał. Nie był w stanie złożyć ślubów. Wymyślał rozmaite preteksty, żeby tego biletu w jedną stronę jeszcze nie kupować. No i jak się pojawiłem, to pomyślał, że może sam Bóg każe mu po raz ostatni wejść do reklamowej rzeki. Żeby sprawdzić, czy to na pewno taki syfny ściek, jak mu się wydawało. Bo może coś jednak przegapił. Może z tego syfu da się jednak wypłynąć na czyste wody.

Przez całą drogę prowadziłem ja. Jarosław jakoś zupełnie nie pchał się za kółko. Chociaż nie doszło między nami do żadnej oficjalnej transakcji, obaj czuliśmy, że to auto jest już bardziej moje niż jego. On już dawno z niego wyrósł. Zmienił się. Jego dusza była teraz bardziej w typie Subaru Forestera lub innego Nissana Patrola.

***

W poniedziałek przyjechałem do agencji grubo po dziesiątej, żeby na pewno zastać Bernarda. Wtargnąłem do niego bez pukania.

– Słuchaj, co to za... – chciał zaprotestować prezes.

– To ty mnie posłuchaj! – przerwałem mu stanowczym tonem. – Bo kiedy skończę, to zrozumiesz, że to, co chciałbyś mi powiedzieć, nie ma już najmniejszego sensu. Odchodzę. W trybie natychmiastowym. Niniejszym składam wymówienie. Rzygam już tym twoim BTL-em. I tym całym panem Jureczkiem. I jego time sheetami. Mam dość! Proszę cię jeszcze tylko o uregulowanie należności za pierwszy tydzień czerwca, który tu uczciwie przepracowałem. To będzie tysiąc dwieście pięćdziesiąt złotych netto. Płacisz i już mnie tu nie ma.

– Wolnego! Dość już tych waszych odejść z dnia na dzień. Więcej sobie na to nie pozwolę. Zostaniesz do końca czerwca, to ci zapłacę. Za cały miesiąc. Co do grosza. Przez ten czas znajdę sobie kogoś na twoje miejsce.

– A czy ty aby na pewno musisz szukać? Bo wieść gminna niesie, że już dawno znalazłeś. I że ten ktoś sporo u ciebie zarabia. Miesiąc w miesiąc. I tak się jakoś składa, że też jest copywriterem...

– Nie wiem, co próbujesz insynuować – rżnął głupa Bernard – ale na pewno nic na mnie nie masz. Więc powtarzam: zapłacę ci, ale pod koniec miesiąca. A jak się uprzesz, żeby odejść dziś, to odejdziesz z niczym. Więc teraz grzecznie wracaj do swojego biureczka i zajmij się robotą. W systemie widać, że masz jej całkiem sporo.

– Załóżmy hipotetycznie, że tak właśnie zrobię – odparłem ze spokojem. – Że wrócę grzecznie do swojego biureczka. Pewnie chciałbyś wiedzieć, co się będzie dalej działo. Założę się, że nie zgadniesz.

– No to mnie oświeć.

– Otóż jeżeli natychmiast mi nie zapłacisz i nie dasz spokojnie odejść, to jeszcze dziś wrzucam do sieci pewien interesujący filmik – zablefowałem. – Pozwól, że szybciutko streszczę ci fabułę. Bo naprawdę wciągająca. On, prezes małej warszawskiej agencji reklamowej, i ona, dyrektorka marketingu międzynarodowego koncernu. Pewnego pięknego dnia spotykają się w hotelu o nazwie Belwederski. Znikają na jakiś czas w wynajętym apartamencie, po czym czule żegnają się na ulicy przed wejściem. Zaraz, zaraz, a może ty już to widziałeś?

Pobladł jak ściana.

– Nie zrobisz tego – wymamrotał.

– Sprawdź mnie. – Spojrzałem mu prosto w oczy. Chyba nie zamierzał.

– Dobra, wypłacę ci kasę za ten cholerny tydzień. Tysiąc
dwieście pięćdziesiąt, mówisz? Tyle to mam nawet tutaj,
w sejfie.

– Mój drogi, jako doświadczony biznesmen i sprawny ne-
gocjator powinieneś wiedzieć, że każda oferta jest aktualna
przez ograniczony czas. Potem się zmienia. Nie zawsze
na twoją korzyść...

– To ile?! – burknął.

– Chcę pięć tysięcy. Całą moją pensję za czerwiec.

Pomyślałem sobie, że jak on leci w chuja, to ja też polecę.
A co!

– Nie ma mowy! – bronił się jeszcze.

– Radzę ci skorzystać z tej oferty. Póki aktualna.

– Nie wiem, czy tyle mam.

– To na co czekasz? Sprawdź. I lepiej miej.

Miał. Zapakował w kopertę i dał.

– A teraz poproszę o to nagranie.

– Niestety, nie mam go przy sobie. – Rozłożyłem bezradnie ręce. – Ale obiecuję ci, że skasuję je od razu po powrocie
do domu.

– W takim razie jaką mogę mieć pewność, że nie wrócisz
mi tu za parę dni z nowymi żądaniami? No powiedz, jaką?!

– Żadnej. Będziesz musiał mi zaufać.

***

Agencja Bernarda funkcjonowała jeszcze tylko do końca
października. Prezes przyjął intratną posadę dyrektora
do spraw reklamy w jakimś koncernie IT. Na odchodnym
powiedział podobno, że ma już serdecznie dość użerania się
z własnym biznesem i z niewdzięcznymi ludźmi, w których

on inwestuje, a oni potem wbijają mu nóż w plecy. Że urodziło mu się dziecko, więc potrzebuje spokoju i pewności jutra. Chociaż księgowa Marysia utrzymywała, że i tak jest nieźle zabezpieczony, bo fikcyjne umowy Białej opiewały na ponad trzysta tysięcy. Marley z dnia na dzień zaczepił się u Kota w sieciówce. Dobry storyboardzista zawsze znajdzie w tym mieście robotę. Cycata Marta trafiła do Legendarnej, gdzie zarekomendował ją Jaro. Helga została BTL-owym freelancerem. Praca sam na sam ze sobą, z dala od ludzi, ponoć bardzo jej służyła. Podobnie jak ludziom. Greg, ku powszechnemu zdziwieniu, postawił na niełatwą przecież karierę gwiazdy porno. Onanistyczna brać internetowa natychmiast okrzyknęła go polskim Rocco Siffredim. Warunki miał ponoć zbliżone. Natomiast po producencie Mariuszu wszelki słuch zaginął. Nigdy nie udało mi się ustalić, co robił po rozstaniu z Bernardem. Jedni mówili, że wyruszył po oświecenie do Tybetu. Inni, że znalazł pracę u wujka w Stanach. Jeszcze inni twierdzili, że widują go w jednej z modnych kawiarni na placu Zbawiciela.

**

My z Jarosławem ruszyliśmy ostro z kopyta. Zaraz po załatwieniu spółkowych formalności sprawiliśmy sobie po biznesowym garniturze. Może nie tak drogim jak te pana Jerzego. Ale też nietanim. Obaj wybraliśmy granat. Bo jadąc do galerii handlowej, natrafiliśmy w radiu na wywiad ze specjalistą od dress code'u, który w kółko powtarzał, że tylko granat. Że granat wzbudza szacunek i zaufanie. A przecież tego właśnie oczekiwaliśmy od przyszłych klientów.

Zakupiwszy uniformy ludzi sukcesu, umówiliśmy się na spotkanie z niejakim panem Piotrem. Kiedy mój wspólnik rządził jeszcze w Legendarnej, pan Piotr szefował marketingowi znanej francuskiej firmy samochodowej. Jako klient zawsze dawał kreatywnym wolną rękę. Co prawda, jak twierdził Jaro, bardziej z lenistwa niż z czegokolwiek innego, ale dawał. I dobrze na tym wychodził, bo nieokaleczane kampanie zwykle zdobywały branżowe nagrody. A jedna zawalczyła nawet w Cannes. A to już, wiadomo, zrobiło wokół pana Piotra szum nie z tej ziemi. Dzięki nieingerowaniu w pracę Jarosława zyskał poważanie i status marketingowego wizjonera. Jak by powiedział Laozi, pan Piotr działał, powstrzymując się od działania.

Teraz pan Piotr królował w marketingu Fast Food Kinga, czyli największego producenta śmieciowego żarcia na tej planecie. W całym okolicznym kosmosie zresztą też. Na telefon Jarosława zareagował entuzjastycznie. Spotkaliśmy się następnego dnia w restauracji. Powiedział, że tam pogadamy sobie swobodniej niż w biurze, on stawia.

Guru polskiego marketingu czekał na nas przy stole, na którym już mroziła się wódka. Przywitaliśmy się serdecznie, zamówiliśmy po dużej golonce i zasiedliśmy do rozmów. Półtora litra później pan Piotr zaproponował nam współpracę z Fast Food Kingiem. Długofalową. Powiedział, że agencja, która go obsługuje, nie ze wszystkim się wyrabia. Więc miał robić przetarg, żeby wybrać jeszcze jedną. W tej sytuacji przetarg już sobie daruje. Weźmie nas, Brainersów.

Parę dni później kurier przywiózł nam do podpisania umowę. Przez kolejny rok mieliśmy obsługiwać markę Fast

Food King. Robić ATL i BTL – wszystko, czego klientowi akurat trzeba. I pobierać za to miesięczną opłatę w wysokości piętnastu tysięcy złotych netto. Nieźle jak na początek. Razem z umową dostaliśmy też pierwszy brief. Na kampanię billboardową nowej kanapki. Z poczwórnym kotletem. Nikt na rynku nie wsadzał jeszcze między bułki tyle mięcha. No to my wsadziliśmy. I wyszło bardzo smacznie.

Dzięki umowie z Fast Food Kingiem na rachunki i inne waciki już mieliśmy. Ale jeden klient to stanowczo za mało. Wbiłem się więc w nowy, budzący ponoć szacunek i zaufanie, granatowy garnitur. Łyknąłem kilka tabletek uspokajających, popiłem red bullem i zrobiłem rundkę po mieście. Miałem okazję sprawdzić się w roli ekanta. To wodzenie na pokuszenie zacząłem od klientów Bernarda. Poumawiałem się z nimi z łatwością – świetnie mnie kojarzyli.

Na pierwszy ogień poszedł Bank Godny Zaufania. Niby miła rozmowa, ale jednak kosz. ATL robią od lat z jakąś sieciówką. I są więcej niż zadowoleni. A na BTL podpisali przecież długoterminową umowę z Bernardem. Nie wypada im tego zmieniać tak znienacka. Nazwa firmy jednak zobowiązuje. Ale pod koniec roku będą organizować nowy przetarg. I, kto wie, może nas zaproszą. Czyli nic konkretnego.

W Top Medice od razu zaznaczyłem, że absolutnie nie dybię na ich gazetkę. Że interesuje mnie tylko ATL. Panie niby obejrzały portfolio, niby się pozachwycały, ale powiedziały, że na razie żadnego ATL-u nie planują. Że teraz to one planują urlopy. I że będziemy w kontakcie. Czyli znowu kicha.

W Tanim Dyskoncie też szybciutko mnie spławili. Bo zaraz wakacje. A to przecież martwy okres. Więc żebym zadzwonił we wrześniu. Może odbiorą.

Odwiedziłem też Niemieckiego Elektropotentata. Tu poszło mi w sumie najlepiej, ale też bez rewelacji. Ich marketingowcy stwierdzili, że nasze portfolio naprawdę robi wrażenie, więc na pewno zaproszą nas do następnego ATL-owego przetargu. Kiedy? Tego niestety nie potrafili powiedzieć.

Przyznam, że te spotkania ostudziły mój ekancki zapał. No bo jak to?! To ja się ubieram jak pajac, to ja jeżdżę po ludziach jak jakiś pieprzony akwizytor, ja pokazuję te wszystkie ładne obrazki, ja mizdrzę się jak stara kokota na johimbinie, godzinami nawijam o niezliczonych zaletach naszej agencji, a tu taki chuj?!

Jaro próbował mnie pocieszać. Że pierwsze koty za płoty. Że dalej będzie już tylko lepiej. Że dobre portfolio w końcu się obroni. Podobnie jak dobrzy fachowcy. I że jeszcze obaj będziemy sławni i bogaci. To znaczy, że ja kiedyś będę, bo on już jest, więc tylko sobie tę pozycję ugruntuje. Cała ta gadka ni cholery mi nie pomogła. Na szczęście jest jeszcze alkohol. Duża butelka Jasia Wędrowniczka od razu zabiła złe myśli. Dobre zresztą też. I w ogóle wszystkie. Ululała mnie do snu.

Rano postanowiłem, że więcej nie będę jeździł do klientów tak na żywca, uzbrojony jedynie w swoją ledwie raczkującą biznesową intuicję. Najpierw to ja się wzmocnię merytorycznie. Pognałem do empiku i nawkładałem do koszyka ładnych parę kilo tajemnej wiedzy: Techniki negocjacji. Odchodzenie od „nie" i dochodzenie do „tak". Sztuka perswazji i wywierania wpływu. Kreowanie wizerunku. Mowa ciała. Zarządzanie kryzysem w relacjach. Asertywność. Metody sprzedaży. Czyli wszystko o tym, jak stać się bezwzględnym manipulantem i zimnym skurwysynem. I bez zbędnych skrupułów chujać wszystkich dookoła. Po lekturze tych szatańskich wersetów zacząłem lepiej rozumieć Anakina Skywalkera. Że tak się facet brandzlował tą Ciemną Stroną Mocy.

Cały ten know-how postanowiłem przetestować na zupełnie obcych ludziach. Chwyciłem *Panoramę firm* i na chybił trafił wybrałem numer swojej ofiary. Producent preparatów przeciwłupieżowych. Otworzyłem stosowny podręcznik na stronie z przykładową scenką new businessową i zadzwoniłem. Przez całą rozmowę jechałem tekstami z książki. Ani słowa od siebie. Efekt? Zaproszenie do przetargu na wielką kampanię nowego szamponu Dandruff Slayer. Billboardy i prasa. Żyć nie umierać!

Usiedliśmy z Jarosławem i rozmóżdżyliśmy temat. Obraz: przystojny ciemnowłosy elegancik w typie Pierce'a Brosnana przywiązany do krzesła. Jak na przesłuchaniu. Albo na innych torturach. Usta zaciśnięte. Wzrok hardy. Od razu widać, że facet nie piśnie ani słowa. Czyli nie tylko atrakcyjny, ale i dzielny. I jakie ma lśniące włosy! Wielkie hasło: „Aleks nigdy nie sypie". Mniejszy dopisek na dole: „bo regularnie używa szamponu Dandruff Slayer". I logo klienta. I zdjęcie produktu. I pozamiatane! Miesiąc później nasza kreacja hulała już sobie po mieście.

Nabuzowany sukcesem, mogłem przetestować moje podręczniki już na kimś mniej nieznajomym. Na przykład na pańciach z Bella Donny. Zadzwoniłem i kurczowo trzymając się książki, zdołałem jakoś odejść z nimi od „nie" i dojść do „tak". Umówiłem się na spotkanie. I to z samą panią prezes Asią. Bo pani dyrektor Kasia właśnie dała się podkupić konkurencji.

***

Jeżeli podczas naszego poprzedniego spotkania pani prezes Asia miała lat czterdzieści pięć, to teraz mogła mieć najwyżej ze czterdzieści. Przyjaźń z kwasem hialuronowym wyraźnie jej służyła. Z botoksem i sylikonem też. Przyjęła mnie w znanej mi już sali konferencyjnej. Pachniało Pradą.

– Dzień dobry, panie Arturze. – Uścisnęła moją dłoń, przytrzymując ją odrobinę za długo. Przy tym zajrzała mi w oczy odrobinę za głęboko, jak kiedyś Bernardowi. Potem niby przypadkiem upuściła długopis na podłogę. Kiedy pochyliłem się, żeby go podnieść, kątem oka dostrzegłem, że bez krępacji taksuje moje pośladki. Oględziny wypadły chyba nieźle, bo na jej twarzy zagościł lubieżny uśmieszek. Trochę się zdziwiłem. Przecież poprzednio jako facet byłem dla niej przezroczysty. Czyżby to zasługa garnituru? Kto wie, może granat, oprócz szacunku i zaufania, budzi też zainteresowanie płci przeciwnej?

– Co pana do mnie sprowadza? – zapytała.

No to powiedziałem jej, że odszedłem od Bernarda. Że otworzyłem własną agencję. Brainers. Z bardzo mocnym działem kreacji. Znane nazwiska. W portfolio jakieś sto spotów telewizyjnych. Kilka prestiżowych nagród. Nawet w Cannes. I niniejszym chciałbym całą tę naszą wiedzę i doświadczenie złożyć u stóp pani prezes Asi i oddać w służbę jej innowacyjnym produktom.

– A dlaczego rozstał się pan z panem Bernardem, jeśli wolno spytać? – dociekała szefowa Bella Donny.

– Cóż, przyznam, że mieliśmy trochę inne spojrzenie na branżę. I zupełnie inną wizję współpracy z klientem – odpowiedziałem zgodnie z prawdą.

– No ja myślę, że inną! – ucieszyła się pani prezes Asia. – Bo muszę panu powiedzieć, że ten pański były przełożony bardzo nam podpadł. Zwłaszcza mi. Ale Kaśce też.

– Naprawdę? – zapytałem z miną niewiniątka. – Przykro mi to słyszeć. A cóż takiego się stało?

– Oj, sporo, panie Arturze, sporo... Raz na przykład ta moja Kaśka pofatygowała się do niego osobiście, żeby go zaprosić do przetargu na kampanię naszych podpasek. Duża rzecz dla takiej małej agencji, prawda?

– Ależ oczywiście. Bardzo duża!

– No widzi pan. Pan by taką szansę docenił. A on, niech pan sobie wyobrazi, zaczął kręcić. To znaczy jacyś jego ludzie. Ale i tak przecież wiadomo, kto za tym wszystkim stał i kto pociągał za sznurki! No więc Kaśka usłyszała, że jak nie ma ze sobą briefu, to oni nie będą dla niej pracować. Chciała dosłać dokument następnego dnia, ale zaczęli marudzić, że to dla nich za późno. Skandal, nie sądzi pan?

– Rzeczywiście. Szkoda, że nic o tym nie wiedziałem. – Oj, będę ja się smażył w piekle. – Gdybym wiedział, to może jakoś przywołałbym tego Bernarda do porządku.

– Panie Arturze kochany, proszę się nie obwiniać. Winny w tej sprawie jest tylko jeden – zawyrokowała pani prezes Asia. – A pan, jak słyszę, nie ma z nim na szczęście już nic wspólnego.

– No na szczęście już nie mam.

– Więc niech się pan nie martwi. U mnie ma pan czystą kartę. – Pani prezes Asia posłała mi jakieś dziwne spojrzenie. Trochę uspokajające, a trochę jakby zalotne.

– Miło mi to słyszeć, pani Asiu. Naprawdę doceniam pani podejście. A postępowaniem Bernarda jestem szczerze oburzony. Jak tak w ogóle można?! W głowie się nie mieści! A swoją drogą, jestem ciekaw, czym on tak bardzo przechlapał sobie u pani... – Zaryzykowałem wejście na niezwykle grząski grunt.

– Cóż, wolałabym nie wdawać się w szczegóły, bo są dla mnie bardzo przykre... Powiem panu tylko, że ten człowiek nie był wobec mnie dżentelmenem. Wykorzystał mnie po prostu dla osiągnięcia własnych celów. Bezbronną kobietę... – głos pani prezes Asi zaczął się łamać.

– Nie, no ja nie wytrzymam! Proszę mi wszystko opowiedzieć, to pojadę i normalnie dam mu w mordę! – Zaimprowizowałem święte oburzenie. Cholera, czy aby nie przeszarżowałem?

– Ależ pan rycerski, panie Arturze! Jak w tej legendzie o Okrągłym Stole. Ech, żeby wszyscy mężczyźni byli tacy...

I już wiedziałem, że absolutnie nie przeszarżowałem.

– Bo wie pani, pani Asiu, ja po prostu nie znoszę, kiedy kobiecie dzieje się krzywda! – Posłałem jej spojrzenie mające świadczyć o mojej wrodzonej szlachetności i stałej gotowości do walki w obronie uciśnionych niewiast. – Zwłaszcza kobiecie mądrej i pięknej.

Reakcja pani prezes Asi na ten wazeliniarski tekst przeszła moje najśmielsze oczekiwania. Najpierw chwyciła mnie za rękę. Potem wstała od stołu, zmuszając mnie, żebym zrobił to samo. Przylgnęła do mnie całym swoim ulepszonym chirurgicznie ciałem, położyła blond głowę na mojej piersi i wybuchnęła płaczem. Nie ma co, uczuciowa kobitka. Instynktownie przytuliłem ją i delikatnie pogłaskałem po włosach. Palce zaczęły mi się kleić od lakieru.

– Już dobrze, pani Asiu – wyszeptałem, próbując wetrzeć lakier w spodnie. – Już wszystko w porządku.

Łzy nadal spływały jej po policzkach. Sprawa była dla mnie ewidentna. Spotkanie w Hotelu Belwederskim bardzo się pani prezes Asi spodobało i pewnie chciała je powtórzyć. Tyle że Bernard nie miał już ochoty. A może i miał, tylko nie bardzo mógł? Bo kręcił już z Białą? Tak czy owak, pani prezes Asia postanowiła jeszcze o niego powalczyć, podsyłając mu tę swoją Kasię z przetargiem na podpaski. Negatywny wynik podpaskowej misji pani prezes Asia odebrała osobiście. Poczuła się odrzucona.

Kiedy tak sobie to wszystko rekonstruowałem, pani prezes Asia zaczęła się uspokajać. W końcu jej łkanie ustało. Odsunęła się ode mnie.

– Najmocniej pana przepraszam, panie Arturze. Naprawdę nie wiem, co we mnie wstąpiło. To takie nieprofesjonalne z mojej strony.

– Ależ nic się nie stało, naprawdę. Bo ja, widzi pani, mam takie trochę niedzisiejsze podejście. Że najpierw jesteśmy ludźmi, a dopiero potem profesjonalistami. Nic na to nie poradzę. Taki już jestem.

– I bardzo dobrze! I proszę się nie zmieniać. Bo świetny z pana facet. I czuję, że będzie nam się dobrze współpracowało.

Tadam! Współpracowało! Tak się, kurwa, robi new business!

– Pani Asiu, ja również jestem pewien, że razem będziemy góry przenosić. Jeśli chodzi o mnie, to możemy zaczynać choćby dziś.

– A wie pan, że to cudownie się składa. Bo mam akurat do zrobienia dwie reklamy prasowe. Jedna z podpaskami, druga z tamponami. Niby powinnam ogłosić przetarg, ale tak sobie myślę, że może dam to panu od razu. W końcu ma pan już doświadczenie z naszą marką. I ten pański spot z łódką naprawdę bardzo się konsumentkom podobał. Wiem, bo to przebadałam na fokusach.

Powiedziałem, że wezmę za tę prasę o dwadzieścia procent mniej, niż brał Bernard, że taka promocja, specjalnie dla niej. Chcę w ten sposób chociaż częściowo zadośćuczynić przykrościom, jakie spotkały ją ze strony mojego byłego, pożal się Boże, szefa. Grałem na pewniaka, bo stawki Bernarda znałem od księgowej Marysi. Tak szczodrą ofertą kupiłem panią prezes Asię już całkowicie. Powiedziała, że na projekty da nam, a co tam, nawet tydzień. I poprosiła, żeby w sprawie prezentacji kontaktować się bezpośrednio z nią. Bo pani dyrektor Kasia, jak już wiem, z Bella Donny wybyła, a ta jej asystentka Basia to, tak między nami mówiąc, straszny tuman i pracy z agencją może nie udźwignąć.

***

Jeszcze przed upływem tygodnia zadzwoniłem do pani prezes Asi, żeby umówić się na prezentację. Zaproponowała spotkanie w kawiarni z przeuroczym, jak się wyraziła, ogródkiem. Czułem, co się kroi. Ale postanowiłem stawić temu czoła. Na tę okazję sprawiłem sobie nawet nowy, letni garnitur. Tym razem szary, zdaniem speców od dress code'u znamionujący spokój, opanowanie i najwyższe kompetencje.

Moja kontrahentka wybrała stolik na uboczu, w ogrodowej altance. No cóż, interesy wymagają spokoju i dyskrecji, łudziłem się jeszcze. Już przy powitaniu pani prezes Asia pogwałciła biznesowe standardy, całując mnie w policzek i napierając na mnie swoim wielokrotnie tuningowanym biustem. Ubrana była jak każda szanująca się MILF* z filmu dla dorosłych. Kusa spódniczka, czarne pończochy, ciasno opięta bluzeczka i piętnastocentymetrowy obcas. Zamówiłem wodę z cytryną, ona kolejne martini.

Prezentacja trwała góra pięć minut. Pani prezes Asi wszystko się podobało. Reklamy są piękne. Wprost idealne. O takich właśnie marzyła. I nie ma żadnych uwag. A ja, swoją drogą, to mam naprawdę wielki talent. Warto we mnie inwestować. Więc jak będę się jej trzymał, to ona już o mnie zadba. I ma ochotę na kolejnego drinka. Po trzecim była nieźle wstawiona. Śmiała się i mówiła tak głośno, że przestałem słyszeć nie tylko ptaki, ale i ruchliwą dwupasmówkę za żywopłotem. Jej kolana coraz śmielej ocierały się o moje. Czując, że nadszedł właściwy moment, podsunąłem jej zlecenie na realizację obu reklam. Podpisała bez czytania i jednym haustem opróżniła jeszcze jeden kieliszek. Następnie bez ceregieli wsadziła rękę pod stół i pogładziła mnie po udzie. Zajrzała mi przy tym głęboko w oczy i zapytała, jak mi się podoba taka współpraca. Uznałem, że czas się żegnać.

– Serio, musi pan już lecieć? – Zatrzepotała kilometrowymi rzęsami. – Niech pan jeszcze zostanie. Chociaż na troszeczkę. Może coś razem wypijemy? No wie pan, za naszą pierwszą udaną transakcję.

---

* MILF – skrót od angielskiego *mom I'd like to fuck*, mamuśka, którą chciałbym przelecieć; w branży porno: atrakcyjna seksualnie kobieta w średnim wieku.

– Bardzo bym chciał – skłamałem – ale niestety jestem autem. No i muszę zaraz wracać do firmy. Mam jeszcze mnóstwo roboty.

– Autem, mówi pan? Pewnie jakimś mocnym i szybkim, co? Taki przebojowy facet... – Teksty miała takie jak wygląd. Rodem z pornosa.

– Wóz jak wóz. Naprawdę nic specjalnego – próbowałem ją spławić.

– E tam, nie uwierzę, póki sama nie zobaczę – nie dawała za wygraną. – Może mnie pan gdzieś podwiezie?

Nie wypadało odmówić. Perspektywa wspólnej przejażdżki wyraźnie ucieszyła panią prezes Asię, bo uśmiechnęła się do mnie szeroko, odsłaniając po wielokroć wybielane zęby. Wielkopańskim gestem rzuciła na stolik trzy banknoty stuzłotowe i uwiesiła się na moim ramieniu. Ruszyliśmy na parking. Na widok porsche pani prezes Asia wydała przeciągły pisk zachwytu. Blachara!

– No, no – pokiwała głową z uznaniem – i po co ta cała fałszywa skromność? Ja od razu wiedziałam, że nie jeździ pan byle czym. W końcu jaki pan, taki kram! – komplementowała mnie bez żenady.

Ledwie wsiedliśmy, rozpięła mi rozporek i pochyliła się nade mną, rozchylając zbotoksowane usta.

***

Przez miesiąc pani prezes Asia zamówiła jeszcze kilka ATL-owych robótek. Ale wszystko ma swoją cenę. Za każde zlecenie musiałem rewanżować się hojnej chlebodawczyni wspólnym weekendowym wyjazdem. Początkowo pani prezes Asia proponowała spotkania w Warszawie, ale ja nie chciałem, żeby ktoś mnie z nią nakrył. Tak jak ja Bernarda. Więc jeździliśmy w Polskę. Do wynajętych domków na odludziu. Pani prezes Asia lubiła, żeby było ostro. Najchętniej z przyrządami. Ubóstwiała też przebieranki i scenki rodzajowe. Chciała na przykład, żebym był młodym dziedzicem, a ona skromną, wiejską świniarką. Kupiła mi nawet bryczesy, buty do konnej jazdy i obowiązkowy pejcz. Sobie zapaskę i czepiec. Ja, szykowny dziedzic, jadąc konno przez czworaki, miałem nagle zauważyć ją, prostą chłopkę, wystraszoną i głodną. Do tego koniecznie brudną. Najlepiej całą w gnoju. I miałem wejrzeć pod ten gnój i dostrzec tam krasawicę z potencjałem. I porwać ją na koń. I czym prędzej zabrać z tej bijącej po oczach nędzy. I powieźć w te moje dostatki. A tam porządnie wybatożyć i wychędożyć. Najwyraźniej, zdaniem pani prezes Asi, tak w dawnych czasach wyglądała pomoc społeczna.

Podróżując w ten sposób po kraju, zarobiłem dla agencji Brainers grubo ponad pięćdziesiąt tysięcy. Plus VAT. Postanowiłem, że swoich i Jarosława interesów bronić będę choćby własnym ciałem. Wytrwać w tym postanowieniu nie było zresztą tak trudno, bo rola dziedzica nawet mi się spodobała. Podobnie jak leśniczego. Oraz hydraulika. Podczas jednego z tych wyjazdów, mocno wypity, stwierdziłem jednak, że jeśli już mam być dziwką, to taką bardziej ekskluzywną. Zażądałem długoterminowej umowy na obsługę marki Bella Donna w zakresie ATL-u. Pani prezes Asia zgodziła się bez mrugnięcia okiem. Zaznaczyła jednak, że deal obowiązuje tylko do końca grudnia, bo budżet na kolejny rok ma jeszcze niezatwierdzony. A potem przebrała się za pensjonarkę, a mnie wepchnęła w sutannę. I kazała się odpytać z pacierza. Ponieważ okazało się, że nie umie go zbyt dobrze, musiała zostać surowo ukarana.

Po powrocie do Warszawy podpisaliśmy stosowne papiery. Trzysta tysięcy za pięć miesięcy obsługi. Wychodziło na to, że potrafię wykorzystywać potencjał klientów znacznie lepiej niż Bernard.

***

Ale nie samą Bella Donną człowiek żyje. Mieliśmy też innych klientów. Sporo robiliśmy dla fastfoodowego pana Piotra. A i ci od łupieżu zgłaszali się z czymś nowym średnio raz w miesiącu. Jednak zdecydowanie najwięcej pracy było z Cup O'Tea. Co ciekawe, na tę firmę trafiliśmy przypadkowo, przez Zbiga. Tatuował on kiedyś niejaką panią Pelasię. Robił jej na ramieniu motyla czy inną ważkę. I jakoś tak od słowa do słowa wyszło, że Zbig ma bliskie związki z reklamą. Babce aż się oczy zaświeciły. Okazało się, że jest kierowniczką marketingu w koncernie herbacianym. Co prawda od niedawna. Ale prezes już ją ciśnie, żeby na cito powymieniała mu wszystkie opakowania. Będzie tego ze czterdzieści pudełek. Więc ją to przeraża. Bo jest jeszcze w temacie zielona. Jak, nie przymierzając, herbata. Zbig jej na to, żeby dała na luz i znalazła sobie jakąś dobrą agencję. Że tam już poprowadzą ją za rękę. A ona, że osobiście to żadnej dobrej agencji tu nie zna. W ogóle w Warszawie to zna może ze trzy osoby. Dopiero się sprowadziła. Więc żeby może on jej coś podpowiedział. Kogoś doradził. Tylko kogoś naprawdę zaufanego. Bo ona za nic w świecie nie może dać plamy. No to Zbig, że owszem, zna jedną dobrą agencję. Nawet bardzo dobrą. Brainers. Prawdziwi fachowcy. Oczywiście klientów tak z ulicy to oni nie przyjmują. Po pierwsze lepsze zlecenia się nie schylają. Ale jak on, Zbig, ją zarekomenduje, to na pewno nie odmówią.

Zadzwonił do mnie, jak tylko od niego wyleciała. Z tym swoim motylem.

– Słuchaj, chyba mam dla was robotę. Na moje oko gruba kasa. Cała linia herbat do przeprojektowania.

– Ile za to chcesz? – zapytałem czujnie. Zaczynałem już reagować jak rasowy ekant.

– A bo ja tam wiem? Najpierw sam się zorientuj, jaki jest budżet, i dopnij ten deal. A potem odpalisz mi, ile będziesz uważał. Stoi?

– Stoi. Obiecuję, że nie będziesz stratny.

– Wiem, wiem. Znamy się. Powiedz mi tylko, czy macie w portfolio jakieś opakowania. Jaro robił coś kiedyś w tym kierunku?

– Robił. I to sporo. Mamy szampony, żele do kąpieli, herbatniki, mleko, czekoladę, płatki śniadaniowe i całą linię soków owocowych. Znajdzie się nawet jakaś herbata. I wszystko aktualne. Wciąż w sprzedaży.

– No to zajebiście! – ucieszył się Zbig. – W takim razie zaraz prześlę ci namiary na tego klienta. A raczej klientkę. Bo to babka. Właśnie zrobiłem jej superdziarę. Jest zachwycona. Powiedz jej, że jesteś ode mnie. Aha, tylko nie dzwoń od razu. Przetrzymaj ją parę dni, bo jej naopowiadałem, jacy to jesteście rozchwytywani i zajebani robotą.

Odczekałem dwa dni i zadzwoniłem. Powołałem się na Zbiga i zapytałem, co mogę dla niej zrobić. Nawijała chyba z kwadrans. O tych swoich herbatach – czarnych, białych, czerwonych i zielonych. Owocowych, ziołowych i kwiatowych. Najróżniejszych. W sumie będzie tego ze czterdzieści smaków i potrzebne są nowe opakowania. Na już! Więc musimy się spotkać ASAP. Powiedziałem, że ogólnie to nie ma problemu, tylko muszę spojrzeć w kalendarz. Przez parę minut udawałem, że szukam jakiejś luki w terminarzu, po czym poinformowałem ją, że szczęście jej sprzyja, bo właśnie zwolnił mi się jeden całkiem nieodległy termin. Możemy się zobaczyć już za trzy dni. Ucieszyła się i zapewniła o swojej ogromnej wdzięczności. Nalegała tylko, żeby spotkanie odbyło się w siedzibie agencji – pan prezes kazał jej wybadać, czy Brainers to aby nie jakaś firma krzak, czy mają dosyć ludzi. Bo pracy przy tych opakowaniach przecież mnóstwo. I czy ci ludzie na pewno godni zaufania. Bo ludzie w biznesie, wiadomo, najważniejsi.

Za cholerę nie dało się jej odwieść od tego pomysłu. Prosiła, nalegała. Musiałem się zgodzić. Tak czy owak, spotkanie miałem nagrane. Teraz pozostało mi tylko, bagatela, skompletować załogę. Bo nas z Jarosławem było stanowczo za mało. Zbiga pani Pelasia już znała, więc odpadał. Zadzwoniłem zatem do Grega. Czy pomoże. Miał akurat przerwę w zdjęciach do *Robin Chuja*, więc nie widział problemu. Powiedział, że na kilka godzin to nawet bardzo chętnie wpadnie. Bo dawno nas nie widział. I zabierze własnego kompa. Żeby było wiarygodnie. No, to operatora już mamy, pomyślałem. I ruszyłem rekrutować dalej. Niestety, Kot i Marley odmówili. W sieciówce wolnych dni nie dostaje się ot tak. Podobnie było z cycatą Martą. W końcu Legendarna też sieciówka. Więc pobite gary. Helga uporczywie nie odbierała. Byłem w dupie.

I wtedy wrodzoną kreatywnością błysnął Jaro. Pójdziemy po pomoc do agencji towarzyskiej piętro niżej! To bardzo mili ludzie. Na bank się zgodzą. Przecież spotykamy ich w windzie. I zawsze sobie gadamy, żartujemy. Jest chemia. A personelu to oni mają na pęczki. Zwłaszcza dziewczyn. Do wyboru, do koloru. Na sekretarkę na pewno któraś się nada. Na przykład ta Natasza jest całkiem bystra. I jaka reprezentacyjna! A z Iriny, tej w typie emo, zrobi się copywriterkę. Styl ma w końcu naprawdę w porządku. Alternatywny, dobrze pasujący. No i są ochroniarze. Wania i Grisza. Fajne chłopaki. Tylko się ich poprzebiera. Bo w tych swoich skórach nie mogą zostać. Zaraz, zaraz... Ale co z językiem? Przecież to wszystko Rosjanie. E tam, spokojnie z tego wybrniemy. Wiadomo, że na takich spotkaniach i tak mówią szefowie. Wystarczy, że nasi Rosjanie ładnie się przywitają. To potrafią. A potem wrócą do swoich kompów i po sprawie. Właśnie, do kompów! Czy wystarczy nam dla wszystkich sprzętu?! Wystarczy. Greg przyjdzie z własną maszynerią. Ja mam macbooka. Jaro ma dwa. Więc jeden pójdzie dla Iriny. W firmie jest jeszcze iMac. Przeznaczymy go dla Wani. Bo przecież grafik nie może mieć peceta. Jak by to wyglądało! Sprzęt do projektowania musi być z jabłuszkiem. Dla Griszy wyciągnę od siebie z piwnicy starego laptopa. Ma stłuczony ekran. Ale przecież można posadzić Griszę przy zamkniętym. Że niby akurat gdzieś wychodzi, więc wyłączył. Albo jeszcze nie odpalił, bo skądś wraca. Na przykład z drukarni. Da mu się do ręki próbnik kolorów i będzie z niego producent jak się patrzy. Pozostawała kwestia komputera dla recepcjonistki Nataszy. Poratowała nas cycata

Marta, obiecała pożyczyć swoje świeżo kupione srebrne Vaio. Prosiła tylko, żeby nie zniszczyć. Bo drogie. Kochana dziewczyna!

Ale dobra, my tu sobie gadu-gadu, a co na to Rosjanie? No to schodzimy z Jarosławem piętro niżej. I puk, puk. Mówimy, jaka jest sprawa. A oni w śmiech i pytają, czy to czasem nie ukryta kamera. Tłumaczymy, że nie, że my tak na poważnie. I że bardzo na nich liczymy. Na to oni, że nieźli z nas kozacy. Nerwy to musimy mieć ze stali. I że oni lubią gości z jajami, więc owszem, pomogą. Za tę przysługę nie chcieli nawet kasy. Od sąsiada brać nie wypada, powiedzieli. Ale i tak odpaliliśmy im po dwie stówki na głowę. W końcu poświęcali nam czas. A czas to pieniądz.

Na godzinę zero byliśmy gotowi. Przyjaciół ze Wschodu zainstalowaliśmy na górze. Wprowadzi się tam panią Pelasię dosłownie na moment, żeby wszystkich poznała, a potem wróci się z nią na dół i po kłopocie. Oczywiście Rosjanie wymagali drobnych retuszy. Zwłaszcza Wania i Grisza, którzy wyglądali bardziej na mafijnych cyngli niż na reklamiarzy. Największy kłopot był z ciuchami, bo obaj chłopcy mieli prawie po dwa metry wzrostu. Jarosław też był wysoki, nawet bardzo. Ale nie tak rozrośnięty. Nie takie kwadratowe bydlę. Jego wyczesane T-shirty, jeszcze z czasów Legendarnej, prawie pękały na sterydowych bicepsach Wani i Griszy. Wyglądali w nich jak obciągnięci prezerwatywami. No ale na mieście niby taka właśnie opięta moda. Wszyscy się noszą tak obciśle, przy ciele. Dla pewności dodaliśmy chłopakom jeszcze rzemienie na przeguby rąk. A grafikowi Wani nawet sznureczek tybetańskich koralików na szyję. Efekt nie był powalający, ale do przyjęcia.

Za to Irina – prawdziwy samograj! Kruczoczarne włosy z przesłaniającą oczy grzywką, trupi podkład, czarna szminka i koszulka w szkielety. Niespełniona poetka socjopatka ze skłonnością do depresji i autodestrukcji. Czytaj: copywriterka idealna. Do kompletu na pięterko dorzuciliśmy jeszcze Grega. Żeby jakoś kontrolował to całe towarzystwo. Żeby za dużo i za głośno nie gadało. Zwłaszcza po rusku.

Z panią Pelasią umówiliśmy się na jedenastą. Przyszła już za dziesięć. Widać nie czytała tylu mądrych podręczników co ja. Bo tam wszędzie pisali, że w interesach nie przychodzi się przed czasem. Że to nadgorliwość. I czytelny sygnał bycia w palącej potrzebie. Czyli od razu słabsza pozycja negocjacyjna. Ale pani Pelasia była tak przejęta pierwszą w życiu wizytą w prawdziwej agencji reklamowej, że o żadnych tam pozycjach negocjacyjnych nawet nie myślała. Dawała się prowadzić jak po sznurku. Najpierw na górę, żeby poznać operatora Grega, producenta Griszę, grafika Wanię i copywriterkę Irinę. Potem z powrotem na dół, do wystawki z produktami opakowanymi w projekty made by Jaro, które przezornie zakupiłem poprzedniego dnia. Okazało się, że wszystkie zna. A większości nawet używa. I jest z nich zadowolona. Bardzo jej służą. Następnie przeszliśmy do gabloty z nagrodami Jarosława, żeby złożyć należny pokłon wszystkim jego Orłom i Strzałom. I oczywiście Palmie z Cannes. Pierwsze wrażenie zostało zrobione, więc elegancko ubrana sekretarka Natasza podała zimne napoje i usiedliśmy do stołu obgadać zlecenie. Poszło błyskiem.

Pani Pelasia pokazała nam dotychczasowe pudełka Cup O'Tea i powiedziała, że nowe muszą być mniej naćkane i takie bardziej premium. Ale ona nie ma na to konkretnego pomysłu. Uspokoiłem ją, że od konkretnych pomysłów to jesteśmy tu my. I od razu zręcznie przeskoczyłem do kwestii finansowych. Pani Pelasia nie bardzo orientowała się w warszawskich cenach, więc mogłem wcisnąć jej każdy kit. Ale nie miałem sumienia. Zaśpiewałem więc uczciwe siedem tysięcy od opakowania. Za projekt z prawami do eksploatacji i za DTP. Razy czterdzieści pudełek. Zdjęcia owoców, ziół i kwiatów miały być kupowane z osobnej puli. Dobry deal. Pozostała już tylko kwestia terminu. Pani Pelasia oświadczyła, że na tę całą robotę może dać nam najwyżej cztery miesiące. Na więcej to pan prezes na pewno się nie zgodzi. Obiecaliśmy, że pierwsze trzy projekty zaprezentujemy w ciągu tygodnia, i odprowadziliśmy panią Pelasię do samochodu.

Wracając do firmy, zahaczyliśmy o lokalny spożywczak, skąd wyszliśmy z dwiema połówkami czystej. Mieliśmy co świętować z Gregiem i Rosjanami. Zanim w butelkach zrobiło się całkiem pusto, Wania skoczył po następne. Przyniósł cztery. Piliśmy w strasznym tempie i bez zakąski, więc szybko odcięło mi prąd.

Obudziłem się w hamaku na pięterku. Nagusieńki, przykryty owiniętą wokół mnie Nataszą. W hamaku obok w analogicznej konfiguracji zalegali Jaro, człowiek prawie duchowny, i Irina. Za oknem zaczynało się ściemniać. Ubraliśmy się i zeszliśmy na dół. Wania i Grisza spokojnie rżnęli w karty przy kuchennym stole. Przebrani z powrotem w te swoje bandziorskie skóry. Na gębach ani śladu odbytej dopiero co libacji. Ci dwaj nie pękliby pewnie nawet przy mniejszej śliwowicy spod Konina. Ucieszyli się, że już wszyscy wstaliśmy. Bo dziewczyny za godzinę miały zameldować się w swojej prawdziwej pracy, a musiały się jeszcze poogarniać i popodmywać. Spytaliśmy, gdzie Greg. A oni, że przecież w połowie trzeciej flaszki dostał pilne wezwanie na plan filmowy i na biegu się zawinął. I że obaj z Jarosławem odprowadzaliśmy go do drzwi. Postanowiłem więcej nie pić na pusty żołądek.

***

Cztery miesiące z Cup O'Tea naprawdę dały mi w kość. Przesrane miałem z tą całą panią Pelasią. Od rana do wieczora wisiała mi na telefonie. I nie były to łatwe rozmowy.

– No witam, panie Arturze. Jak się pan dziś miewa o poranku? – To zawsze zaczynało się tak niewinnie.

– A dziękuję, doskonale. A pani, pani Pelasiu?

– A ja, przyznam szczerze, nie za dobrze. Bo, widzi pan, bardzo się martwię tą naszą herbatą malinową – przechodziła do rzeczy pani Pelasia. – Dziś w nocy oka przez nią nie zmrużyłam. Bo wczoraj pod koniec dnia zrobiliśmy tu u nas taką małą burzę mózgów. Był pan prezes i kilka dziewczyn z innych działów. Oglądaliśmy sobie to malinowe opakowanie. I wie pan co?

– Proszę mnie zabić, nie wiem.

– No i niech pan sobie wyobrazi, parę osób niezależnie stwierdziło, że tym malinom na froncie to brakuje jakiejś takiej głębszej owocowości. Rozumie pan, o czym mówię?

– Nie za bardzo. Bo czy owoce mogą nie wyglądać owocowo?

– Ja wiem, jak to brzmi, panie Arturze. Ale według nas mogą. I nie wyglądają. Więc musimy to poprawić. I to

ASAP! Nasz pan prezes sugeruje, żeby te maliny zrobić tak bardziej na wysoki połysk. No wie pan, żeby świeciły owocowością już z daleka. Żeby wabiły konsumenta ze sklepowej półki.

– Pani Pelasiu, analizowaliśmy ten projekt wielokrotnie i naszym zdaniem te owoce są takie, jakie powinny być. Czyli świeże, soczyste i apetyczne. Oczywiście możemy dołożyć im trochę różnych efektów, ale wtedy będą wyglądały jak plastikowe. A państwo przecież stawiają na naturalne pochodzenie swoich produktów.

– Rozumiem pańskie argumenty, panie Arturze. Ale proszę też zrozumieć mnie. Ja muszę taką wersję zobaczyć. I pokazać panu prezesowi. No i dziewczynom.

– Cóż, pani Pelasiu, klient nasz pan. Proszę dać nam godzinkę. A potem sprawdzić maila.

Więc Jaro siada i podkręca te owoce. I to na maksa. Żeby się błyszczały jak psu jajca. Potem ja to wysyłam i czekam na telefon. Godzinę, dwie, trzy. W końcu dzwoni.

– Witam ponownie, panie Arturze.

– No i jak tam te nowe malinki, pani Pelasiu? Podobały się?

– A wie pan, nie za bardzo... Miał pan rację, że wyszły takie jakieś plastikowe.

– Cieszę się, że państwo też są tego zdania. To co, akceptujemy pierwotną wersję?

– No nie tak od razu, panie Arturze. Chcielibyśmy jeszcze zobaczyć coś pośredniego. Wie pan, żeby ten efekt owocowości jednak był, ale mniejszy.

Mocno już poirytowany Jaro trochę odkręca to, co poprzednio popodkręcał. Ja znów wysyłam. I znów czekam. Dzwoni.

– Wie pan co, panie Arturze?

– Nie wiem, ale przyznam, że zaczynam się trochę bać.

– Ależ nie ma czego, panie Arturze! Bo wszystko jest na dobrej drodze. Postanowiliśmy z panem prezesem i z dziewczynami, że zostajemy jednak przy tym państwa pierwotnym projekcie. Ta wersja pośrednia jest jakaś taka niepokojąca. Wie pan, co mam na myśli?

– Przyznam, że nie za bardzo.

– Cóż, nieważne... Tak czy owak, akceptujemy tę wczorajszą wersję. Skoro państwo mówią, że jest w niej odpowiednia owocowość, to my państwu zaufamy.

Zaufanie fajna rzecz. Szkoda tylko, że cały dzień w plecy.

Innym razem są na tapecie herbaty ziołowe. Konkretnie pokrzywa.

– Dzień dobry, panie Arturze. Pan już w firmie?

– Właśnie wszedłem.

– No widzi pan, ja to mam szczęście – i chichocze mi do słuchawki. – Ale przejdźmy do rzeczy. Dzwonię do pana w sprawie pokrzywy.

– A co z nią nie tak? – Praca ekanta uczy czujności.

– Proszę się nie martwić, wszystko z nią w porządku – niby uspokaja, ale ja już dobrze wiem, że zaraz podrzuci mi jakieś zgniłe jajo. – Tylko chciałabym zasugerować jedną drobną poprawkę. A właściwie uzupełnienie.

– Zamieniam się w słuch.

– Bo widzi pan, my się z dziewczynami martwimy, czy konsumenci na pewno odróżnią tę pokrzywę od mięty. To takie podobne listki...

Jak dla mnie, za cholerę niepodobne. Ale słucham dalej.

– No i my tu wpadłyśmy na taki pomysł. Żeby tę pokrzywę i tę miętę jakoś dodatkowo podpisać. Na przykład, czy ja wiem, gdzieś na łodyżce. Zresztą pozostałe zioła też. Żeby ludzie od razu wiedzieli, co kupują.

– Cóż, moim zdaniem nie ma takiej potrzeby. Naprawdę.

– Oj, panie Arturze, co panu zależy to popodpisywać?

– Pani Pelasiu, proszę mnie dobrze zrozumieć. My to możemy popodpisywać. Nawet od ręki. Ale proszę łaskawie zwrócić uwagę, że na każdym z tych opakowań jest już duża nazwa zioła. Bardzo duża. I to centralnie, na froncie. Zresztą zawsze można dla pewności sprawdzić sobie skład tej herbatki. I będzie jasne. Ludzie sobie poradzą.

– No wiem, wiem... Ale może by to jednak napisać jeszcze na tej łodyżce? Tak dla pewności.

– Pani Pelasiu, apeluję do pani o większą wiarę w konsumenta. Ludzie nie są głupi. Proszę zauważyć, że jak pani idzie do zoo i podchodzi do wybiegu dla słoni, to jest tam tylko taka mała tabliczka na płocie. Że słoń. A same zwierzęta wcale nie są podpisane.

– E tam, słonia to przecież każdy rozpozna.

– Ale już sójkę żołędziówkę nie każdy. I kozicę kaukaską też mało kto. A jednak nie są popodpisywane. Tabliczki w zupełności wystarczają. Nam również wystarczy napis na froncie pudełka i skład herbaty. Proszę mi wierzyć.

– Ale mi pan zabił ćwieka, panie Arturze! To ja to teraz muszę jeszcze raz przedyskutować z dziewczynami. I z panem prezesem. Oddzwonię do pana za godzinkę, dobrze?

I dzwoni. Za półtorej.

– Wie pan, myśmy tak sobie w firmie rozmawiali o tych słoniach, sójkach i kozicach. I jedna moja koleżanka, taka Elżbieta z działu sprzedaży, powiedziała, że była ostatnio w zoo z dzieciakami. I że jest tak, jak pan mówił. Tylko te małe tabliczki. Nic więcej.

– A widzi pani!

– No więc chciałam panu zakomunikować, że my tę pokrzywę jednak akceptujemy. Miętę zresztą też. Bez podpisów. I tak dzień w dzień. Przez cztery miesiące. Niby nic wielkiego. Niby bardziej śmieszno niż straszno. Ale ileż, kurwa, można?!

Żeby przetrwać, musiałem się wspomóc. Farmakologicznie. Inhibitory zwrotne serotoniny. Po ludzku: antydepresanty. Całkiem przyjemnie było na tych lekach, nie powiem. Tyle że libido spadło mi na łeb na szyję. Więc pani prezes Asia zaczęła trochę zrzędzić. Że chędożę jakoś tak bez ognia. I że batożę też jakby na pół gwizdka. A ponieważ zbliżał się koniec roku i ważyły się losy naszej dalszej współpracy z marką Bella Donna, musiałem wziąć się jakoś w garść. I to szybko. Poszedłem więc po pomoc do Rosjan z agencji towarzyskiej piętro niżej. W końcu fachowcy. Zasugerowali koks. Że na chuć najlepszy. Jak chcę, to oni mają dużo i od ręki. Kupiłem torebeczkę. Rzeczywiście pomogło. Kolejny weekend z panią prezes Asią to było moje the best of. Naprawdę przechodziłem samego siebie. Ujeżdżałem ją z pasją mistrza rodeo. A pejczem wywijałem jak dżokej na ostatniej prostej. Na deser zaproponowałem jej nową przebierankę. Tarzan i Jane. Cóż, biznes to dżungla. Pani prezes Asia była w siódmym niebie. Już w poniedziałek przesłała mi umowę na kolejne pół roku. A stawki nawet podniosła.

***

Opakowania zaprojektowane dla pani Pelasi zostały nominowane do ważnej branżowej nagrody. Jednak sama nagroda przeszła nam koło nosa. Żeby w takich konkursach wygrywać, trzeba podobno bywać. W tak zwanym towarzystwie. A my ze wspólnikiem uporczywie nie bywaliśmy.

***

Za swoją część herbacianego honorarium wreszcie odkupiłem od Jarosława to, i tak już przecież moje, porsche. I jeszcze całkiem sporo mi zostało.

***

W wolniejszych chwilach zachodziłem po sąsiedzku do Wani i Griszy. Siadaliśmy przy barze, popijaliśmy wódeczkę, paliliśmy cygara i trochę sobie o tym i owym opowiadaliśmy. Oni o służbie w Specnazie. Ja o studiach na anglistyce. Oni o pracy dla legendarnego pana Fiodora, szefa wszystkich moskiewskich szefów. Ja o stypendium w Londynie. Oni o wielkiej policyjnej obławie na Fiodorowych chłopców z miasta. Ja o urokach pracy copywritera. Oni o swojej brawurowej ucieczce do Polski i nabyciu lipnych tożsamości. Ja o codziennych zmaganiach ekanta. Oni o niełatwym chlebie nadzorców nierządu. Ja znowu o rymowanych imionach pań z marketingu. Słuchaliśmy się nawzajem z niekłamanym zainteresowaniem. Bo jedna strona dla drugiej przecież egzotyczna. Natasza podśmiewała się, że kiedy tak sobie siedzę pomiędzy Wanią i Griszą, to wyglądam jak szachowy pionek otoczony kręglami.

Całkiem miło mi się siedziało z przyjaciółmi Moskalami. Chociaż może po prostu nie miałem porównania. Przecież z nikim innym już wtedy nie siadywałem.

RUNDA ÓSMA

Tymczasem minęła zima i nadeszła wiosna. Wraz z jej nadejściem gwałtownie zwiększyły się potrzeby pani prezes Asi. Zapragnęła wyjeżdżać ze mną już w każdy weekend. I tak na początku kwietnia zaniosło nas do Białowieży. Tradycyjnie wynajęliśmy domek na dalekich peryferiach, żeby za bardzo nie rzucać się w oczy. Przez całą sobotę grzecznie tam sobie siedzieliśmy, popijając whisky i odtwarzając co pikantniejsze scenki z biografii markiza de Sade. W niedzielę pani prezes Asia nagle zażądała spaceru. Jak nie ona. Dotąd nogi służyły jej wyłącznie do rozkładania. Zaproponowałem las. Odmówiła. Dla niej nuda. Nic się tam nie dzieje. No to może rezerwat żubrów? Też nuda. I w dodatku smród. Nie, ona chce do miasta, na rynek. Gdzieś wyczytała, że mają tam akurat jakiś jarmark. Naturalne miody. Chleby na zakwasie. Same zdrowe, regionalne produkty. I ona sobie tego na zaś nakupuje. Bo w Warszawie, wiadomo, takich wiktuałów ze świecą szukać. To idziemy na ten rynek. A tam dzikie tłumy. Pani prezes Asia rzuca się w wir zakupów. Wydaje i wydaje. Przeciskamy się między straganami. Ja obładowany tym jej ekobadziewiem.

A ona od góry do dołu w Pradze, na szpilkach i z tymi podrasowanymi cyckami kilometr przed sobą. Siłą rzeczy ludzie się na nas gapią. Bo wszyscy wokół w dresach, na sportowo. Tylko ona taka dama z łasiczką. Nagle parę metrów przed nami – asystentka Basia. To znaczy pani dyrektor Basia, bo pani prezes Asia niedawno ją przemianowała. I ta Basia idzie prosto na nas. No to ja panią prezes Asię pod rękę i dajemy nura za stragan z domową maślanką. Przypadamy do ziemi i czekamy. Minutę. Dwie. Trzy. Chyba wystarczy. Rozglądamy się czujnie. Po dyrektor Basi ani śladu. Szybciutko czmychamy na kwaterę.

A w drodze do Warszawy istna zgaduj-zgadula. Widziała nas ta pani dyrektor Basia, czy nas nie widziała? Pani prezes Asia cała w strachu. Że jak nas jednak przyuważyła, to będzie gruby skandal. Ja uspokajam, że nawet jakby, to może sprawa rozejdzie się po kościach. Że skoro pani prezes Asia niedawno tę całą Basię awansowała, to może ta okaże jakąś ludzką wdzięczność i pewne rzeczy taktownie przemilczy. A pani prezes Asia, że gdzie tam. Chuj, nie wdzięczność. Nie ma szans. Wprawdzie wywindowała tę durną Baśkę na wygodny dyrektorski stołek. Ale tylko dlatego, że lepszy znany tuman od obcego. Człowiek przynajmniej wie, czego się spodziewać. Ale tuman pozostaje tumanem. Ona tej swojej, pożal się Boże, dyrektorki nigdy specjalnie nie szanowała. I często dawała temu wyraz. Także publicznie. I tamta raz czy dwa nawet przez nią płakała. Więc że jeśli teraz coś na panią prezes Asię ma, to ani chybi zrobi z tego niecny użytek.

W poniedziałek u obojga stan przedzawałowy. Wybuchnie ta bomba czy nie wybuchnie? Ale w Bella Donnie cisza jak makiem zasiał. We wtorek i środę też nic. Pani prezes Asia dzwoni do mnie cała w skowronkach. Dobra nasza. Z dużej chmury mały deszcz. I musimy koniecznie się spotkać. Najlepiej od razu, wieczorem. Ona musi natychmiast zrzucić z siebie całe to nieznośne napięcie. Jakoś tę cholerną Baśkę odreagować. No to się umawiamy. Daleko. W jakiejś podwarszawskiej pipidówie. Ostrożność przede wszystkim. Jemy kolację w przytulnej staropolskiej oberży. Żartujemy. Jest miło. Wychodzimy, kiedy już zamykają. Wsiadamy do auta, ale odjeżdżamy tylko kawałek. Bo panią prezes Asię dopada wiosenne uniesienie. Każe czym prędzej skręcać w las. A tam zdziera z siebie ciuchy, rozpina mi rozporek i wskakuje na mnie okrakiem.

Następnego dnia dzwoni do mnie już przed południem. Odbieram, licząc na jakieś łóżkowe komplementy. Ale w słuchawce płacz: Ta kurwa, Baśka, jednak nas widziała. Wcale nie wtedy w Białowieży, tylko tej nocy, w tym jebanym lesie. Ona w tej zasranej pipidówie, okazało się, mieszka. I akurat przechodziła sobie tamtędy z pieskiem. Poznała moje auto, a jak zobaczyła, z kim brykam w środku, od razu zaczęła kręcić komórką. I dziś ten filmik przedstawiła, suka, radzie nadzorczej. I że choć było ciemno, to jednak całkiem sporo widać. Że pani prezes Asia to raz na górze, a raz na dole. Że pani prezes Asia to raz różne rzeczy do ust bierze, a raz różne rzeczy do ust podaje. I to kontrahentowi! Więc pani prezes Asia jest skończona.

I faktycznie była. Co prawda dla dobra firmy afera została przez radę nadzorczą wyciszona, ale pani prezes Asi pozbyto się z miejsca. W trybie dyscyplinarnym. A ona natychmiast wyfrunęła do siostry, do Australii. Nawet się nie pożegnała. Przyznam, że po tylu wspólnych igraszkach trochę mnie to nawet zabolało.

Ale co tam brak pożegnania! Po kilku dniach, ku własnemu przerażeniu, zacząłem odczuwać brak samej pani prezes Asi. Jej pornograficznych tekstów. I melodramatycznych gestów. Jej włoskich butów. I francuskiej miłości. Jej długich paznokci. I krótkich spódniczek. Jej gorących lędźwi. I zimnej kalkulacji. Jej przerasowanego ciała. I skundlonej duszy. Jej pełnych piersi. I pustej głowy. Jej licznych wad. I nielicznych zalet. Zrozumiałem, że ta pretensjonalna MILF była mi ostatnio na swój specyficzny sposób bardzo bliska. Poza Jarosławem chyba najbliższa. Bo to właśnie z nią – o zgrozo – spędzałem prawie każdą, z trudem wygospodarowaną wolną chwilę. Czy można, kurwa, upaść niżej?! Quo vadis, Arturze?!

W napięciu śledziłem kolejne ruchy rady nadzorczej Bella Donny. Kto zostanie nowym pasterzem tej dojnej krowy? Czy dopuści mnie do jej słodkiego mleka? Pani dyrektor Basia – mimo najszczerszych chęci – nie przesiadła się na wakujący prezesowski stołek. Upewniwszy się, że przekazany przez nią film to oryginał i że kopii brak, decydenci Bella Donny pożegnali się z nią błyskawicznie. Tacy ludzie nie są w końcu głupi. Podkablowała panią prezes Asię, to któregoś dnia może podkablować i ich. Więc po co ryzykować? Zamknięto jej usta stosowną lojalką i hojną odprawą. I było po sprawie.

Nowym władcą tamponowego imperium został facet, którego nazwisko coś mi mówiło. Ale nie bardzo wiedziałem co. Dopóki go nie zobaczyłem. To był jeden z tych skacowanych brodaczy z Giga RTV/AGD. Z tych, którzy tak demonstracyjnie ziewali na naszej prezentacji. A potem próbowali wydębić od Bernarda po piętnaście koła łapówki. No więc jeden z tych przesiąkniętych korupcją skurwieli, niejaki pan Zenon, zaprosił mnie na spotkanie i mówi, że wie o moich daleko wykraczających poza wszelkie normy biznesowe stosunkach z byłą prezes Asią. Że jest nimi szczerze i głęboko zniesmaczony. Że takie postępowanie jest całkowicie sprzeczne z najwyższymi standardami etycznymi, które on sam wyznaje. I o które przez całe życie walczył. Więc że niniejszym w imieniu firmy Bella Donna zrywa umowę z agencją Brainers, którą ja plugawie reprezentuję. Jego prawnicy znaleźli zapis, który mu na to bez cienia wątpliwości pozwala. I w związku z tym w maju i w czerwcu nie dostaniemy już od nich ani roboty, ani kasy.

Cóż, jakoś to przełknąłem. Liczyłem się z takim scenariuszem. Powiedziałem więc brodaczowi, że OK. Że rozumiem jego stanowisko i nie zamierzam się procesować. A potem wręczyłem mu fakturę za uczciwie przepracowany kwiecień. Na sześćdziesiąt pięć tysięcy netto, po styczniowej podwyżce od mojej hojnej MILF. A ten mi się stawia, że nie ma mowy. Nie zapłaci. A jak będę kombinował z jakąś windykacją, to upubliczni ten filmik z byłą prezes Asią. A wtedy to już żaden szanujący się klient do mojej agencji nawet nie zajrzy. Więc żebym grzecznie spadał, bo on niniejszym ze mną skończył. No i co ja mogłem, biedny miś? W mordę mu przecież nie dam, bo w Bella Donnie wszędzie monitoring. Wyszedłem więc, trzaskając drzwiami.

Byłem już w połowie korytarza, kiedy mnie dogonił i pociągnął za rękę do męskiej toalety. Zamknął drzwi na zamek i odkręcił na maksa kurek z wodą, żeby zagłuszyć ewentualny podsłuch.

– Oczywiście możemy się jakoś dogadać – wyszeptał, wlepiając we mnie te swoje sprzedajne oczyska. – Na przykład dostaniesz za ten kwiecień gotówkę tu u nas, w kasie na dole. I połowa będzie od razu dla mnie. A dla ciebie przecież lepszy rydz niż nic. Co ty na to? Wchodzisz?

– Wychodzę – wycedziłem, odsuwając go na bok i otwierając drzwi łazienki. – A kasę chcę widzieć na swoim koncie. W całości i w terminie. Aha, i nie jesteśmy, kurwa, na ty!

***

Na początku myślałem, że brodacz tylko tak straszy i w końcu nam za ten kwiecień zabuli. Niestety, termin płatności minął, a pieniędzy z Bella Donny jak nie było, tak nie było. Próbowałem wydzwaniać do tego całego Zenona, ale komórki nie odbierał, a w firmie zawsze mówili, że jest akurat na spotkaniu. Na moje maile też nie było odpowiedzi.

Sprawa zaległej faktury nie dawała mi spokoju. I nie chodziło wcale o kasę. Tej nam z Jarosławem nie brakowało. Chodziło o zasady. Nie można przecież odmówić zapłaty za uczciwie wykonaną robotę! Moje zazwyczaj nieźle funkcjonujące myślenie abstrakcyjne w tym przypadku wyraźnie szwankowało. Co noc śniło mi się, że skorumpowany Zenon chyłkiem zakrada się do sejfu Bella Donny i wynosi te nasze grube tysiące. Że wypycha nimi kieszenie swojego wygniecionego garnituru i rusza w miasto. Przepieprza wszystko w ciągu jednej nocy. Z uporczywą konsekwencją. Banknot po banknocie. Na wódę, koks, panienki i ruletę. A ja na tę jego krańcową niegospodarność zmuszony jestem patrzeć. Ale nic nie mogę zrobić. Nie jestem w stanie się poruszyć. Jak to we śnie. A ten suczy syn tylko patrzy na mnie swoimi kaprawymi ślepiami i śmieje mi się w twarz.

Na jawie też dręczyłem się tym Zenonem. Ściągnąłem sobie nawet jego zdjęcie ze strony Bella Donny. Jak sobie, kutas, siedzi w obitym skórą fotelu prezesa i głaszcząc brodę, majestatycznie patrzy w dal. Jakby wypatrując kogoś, kogo mógłby wychujać. Zrobiłem sobie nawet z tej fotki tapetę na macbooku. I w każdej wolniejszej chwili gapiłem się na nią ze szczerą i wciąż rosnącą żądzą mordu. Raz czy dwa zdarzyło się nawet, że naplułem Zenonowi w tę rozpikselowaną japę. Nie ma co gadać, fiksowałem.

Jaro przypatrywał się temu z boku. Długo nic nie mówił. Któregoś popołudnia postawił na stole butelkę Jasia Wędrowniczka.

– Musimy pogadać – oznajmił. – Co się właściwie z tobą dzieje?

No to opowiedziałem mu o kulisach naszej współpracy z marką Bella Donna. O moim moralnie wątpliwym układzie z byłą prezes Asią. O naszych weekendowych wyjazdach. O dziedzicu i świniarce. O feralnej nocy w lesie pod pipidówą. O filmiku nakręconym przez byłą dyrektor Basię. O dymisjach obu pań. O nowym, znanym nam z wcześniejszych dokonań prezesie Zenonie. O jego zerwaniu umowy z nami. O jego niechęci do uregulowania płatności za uczciwie przepracowany przez nas kwiecień. O jego korupcyjnej ofercie. I o braku na naszym koncie sześćdziesięciu pięciu tysięcy związanym z tej oferty odrzuceniem.

– Rety, trochę tego jest – wymamrotał Jaro, kiedy wreszcie skończyłem. – Aż nie wiem, co powiedzieć...

– Mów, co czujesz. Nie krępuj się. Wal do mnie jak do tarczy. Zasłużyłem.

– Może i zasłużyłeś. Ale nie mam zamiaru jeszcze ci dowalać. Bo w tym wszystkim jest, zdaje się, sporo mojej winy – dodał po namyśle.

– Twojej? – szczerze się zdziwiłem. – A to z jakiej paki?

– Ano z takiej, że od dawna czułem, że z tą Bella Donną coś jest nie tak. No bo jak to, żadnej poprawki do tylu projektów? I to przez dziesięć miesięcy? Nie, takie cuda się nie zdarzają. Zwłaszcza w naszej popapranej branży. Śmierdziało mi to wszystko na kilometr. Ale nigdy o nic nie pytałem. A przecież powinienem.

– Daj spokój, stary. Wina jest wyłącznie po mojej stronie. Oszukałem cię.

– Zaraz tam oszukałeś – żachnął się Jaro. – Po prostu pewne rzeczy przemilczałeś. Zresztą za moją, równie milczącą, zgodą. Bo przyznam szczerze, że ten układ bardzo mi pasował. W końcu wszystkie moje projekty wychodziły na miasto nietknięte. I żaden kretyn mi przy nich nie gmerał. Pierwszy raz w życiu miałem taki komfort. Dzięki tobie.

– Czyli nie masz mnie za chuja?

– Nie. – Uśmiechnął się naprawdę przyjaźnie. – W końcu robiłeś to, co należy do ekanta. Zdobywałeś zlecenia i pieniądze. Najlepiej, jak umiałeś.

– Przestań, bo jeszcze wyjdę na bohatera.

– No, nie przesadzajmy. Ale czarnym charakterem też bym cię nie nazwał. Dla mnie najważniejsze, że nie dałeś Zenonowi łapówki. Bo tego akurat bym ci nie wybaczył. Wiesz, że nienawidzę korupcji.

– A ten układ z panią prezes Asią to nie była przypadkiem korupcja?

– Daj spokój! Babka po prostu płaciła nam uczciwe pieniądze za rzetelną robotę. A że chciała się przy tym trochę zabawić? Ludzka rzecz. Nie mogę jej za to winić. Ciebie zresztą też gotów jestem rozgrzeszyć. Parę razy tę twoją panią prezes widziałem. Bardzo atrakcyjna kobieta. Na swój specyficzny sposób, rzecz jasna. Miałeś prawo się nie oprzeć. Więc z tego prawa skorzystałeś. I łączyłeś przyjemne z pożytecznym. Bo jakoś strasznie źle ci z nią chyba nie było, co?

– Fakt, do niczego nie musiałem się zmuszać – przyznałem bez bicia. – Ostra z niej była laska. Temperamentna. I niby stara, a wszystko miała jak nowe.

– Hm, rozumiem cię lepiej, niż myślisz. No bo w końcu kto za młodu nie miewał fantazji spod znaku MILF. Ale proponuję zamknąć ten temat. Mamy do obgadania sporo innych.

– Masz rację. Na przykład ta zaległa kasa za kwiecień.

– Właśnie.

– Co proponujesz?

– Odpuścić. Bo to tylko kasa. Szkoda twojego zdrowia na jakieś windykacje i inne podjazdowe wojenki. Przecież i tak masz więcej, niż potrzebujesz. Przez ostatni rok stałeś się, przyjacielu, człowiekiem naprawdę zamożnym.

– Wiem, ale tu chodzi o zasady.

– Mój drogi, walka o zasady zawsze powoduje kwasy. A kwasy potrafią być żrące.

– Ładnie powiedziane. Copy na Palmę w Cannes.

– Ty mnie tu żadnymi palmami nie czaruj. Tylko zostaw już tego cholernego Zenona w spokoju. I tę forsę też. Niech się nią bydlak udławi!

Butelka zrobiła się pusta. Jaro wyciągnął następną.

– No, to teraz ja mam ci coś do powiedzenia – zaczął z tajemniczą miną.

– Wal śmiało – zachęciłem go, polewając whisky do szklaneczek.

– Pamiętasz, co sobie obiecaliśmy, kiedy zakładaliśmy tę agencję?

– Sporo tego było. Co konkretnie masz na myśli?

– A to, że dajemy sobie rok. A potem decydujemy co dalej. Tak się składa, że ten nasz rok mija za niecały miesiąc.

– I?

– I pora sobie uczciwie powiedzieć, co kto myśli. Pozwól, że zacznę ja. No więc uważam, że nie powinniśmy kontynuować naszego przedsięwzięcia.

– A to niby dlaczego?! Klienci walą drzwiami i oknami.

– Wiem, wiem. Firma radzi sobie fantastycznie. Tyle że mi chodzi o ciebie.

– O mnie?! – Aż zachłysnąłem się połykanym właśnie trunkiem. – A co jest ze mną nie tak? W czymś cię zawiodłem? Coś zawaliłem? Poza tą Bella Donną oczywiście.

– Nie o to chodzi. Po prostu się o ciebie martwię. Moim zdaniem nie jesteś w tym układzie szczęśliwy.

– Skąd taki wniosek?

– Z obserwacji. I z analizy porównawczej – wyjaśnił tonem naukowca. – Wystarczy zestawić sobie Artura z po-

cząfków naszej znajomości z Arturem teraz. Różnicę widać
jak na dłoni.

– Jaką mianowicie?

– Ano taką, że ten pierwszy to pogodny, pełen pasji chłopak, traktujący swoją pracę jak dobrą zabawę. Za to ten drugi to człowiek wiecznie zestresowany i niezdrowo
pobudzony. Stale dokądś pędzi i przelicza wszystko na pieniądze. Dla niego praca nie jest ani trochę zabawna. Jest wal-
ką. Na śmierć i życie.

– No bo to zupełnie inne prace! – zaprotestowałem gwałtownie.

– O to właśnie chodzi! Ta pierwsza praca cię budowała,
bo była stworzona dla ciebie. Ta druga cię niszczy, bo jest
stworzona dla kogoś zupełnie innego. Hm, może ujmę to
tak: bycie copywriterem to naturalny stan twojego organi-
zmu. A ekant to wirus, który ten organizm zżera.

– Naprawdę tak sądzisz?

– A co, nie mam racji?

Nie musiałem odpowiadać. Wiedziałem, że ma. A on wiedział, że ja to wiem.

– A najgorsze jest to – ciągnął Jaro – że ja przyłożyłem rękę do tego twojego nieszczęścia. Nie powinienem był godzić
się na taki podział ról. Bo przecież wiedziałem, że kiedy artysta zamienia się w kupca, to zawsze kończy się to tragicz-
nie. Mniej lub bardziej, ale zawsze.

– Ładnie powiedziane z tym artystą i kupcem. Choć jak
na mój gust, trochę zbyt górnolotnie.

– Czy naprawdę zawsze musisz uciekać w kpinę? Zresztą
rób, co chcesz. Ja i tak powiem swoje. Przed tym nie uciek-
niesz.

– Przepraszam. Już nie będę. Obiecuję.

Jaro polał i wypiliśmy.

– Powiem prosto z mostu – ciągnął, przełknąwszy alkohol. – Uważam, że dla własnego dobra powinieneś zgodzić się na rozwiązanie naszej spółki. A potem postarać się o dobrze płatną posadę w cudzej agencji. Wiesz, jakiś senior copywriter lub nawet dyrektor kreatywny. Portfolio masz takie, że szczęka opada. Wszędzie cię przyjmą z otwartymi ramionami. I odżyjesz. Zobaczysz.

– A co z tobą?

– Nie domyślasz się? Wracam do klasztoru. Do moich alienatów. I jeżeli tylko przeor się zgodzi, natychmiast składam wszystkie śluby. Za długo już to odwlekałem.

– I nie będzie ci szkoda tego, co tu? Tych wszystkich intelektualnych przekrętek i zwalających z nóg koncepcji, które mógłbyś jeszcze powymyślać?

– Widzisz, ja coraz mocniej czuję, że swoje już tu zrobiłem. Teraz kolej na ciebie. Żeby powymyślać. Tylko coś, a nie komuś, jak to robisz z tym całym Zenonem.

– „Jeśli wolisz wymyślać coś, a nie komuś..." Czy nie tak właśnie napisałeś kiedyś w ogłoszeniu? Wiesz, wtedy gdy szukałeś copywritera do Legendarnej?

– Owszem, a ty na to ogłoszenie odpowiedziałeś. Zrób to znowu.

Więcej mówić nie musiał. Piliśmy więc w milczeniu. Wkrótce Jaro zasnął na siedząco. Widać zmęczył się tą swoją płomienną tyradą o kupcach i artystach. Ułożyłem go na kanapie i opatuliłem kocem. Sam nie zamierzałem spać. A nuż przyśni mi się skorumpowany Zenon? Podreptałem do agencji towarzyskiej piętro niżej. Przy barze zastałem Wanię i Griszę. Sączyli whisky. Polali i mnie. Raz, drugi. Miło się siedziało. Tak miło, że aż zacząłem się zwierzać. Że jest jeden taki typ, co to wisi mi kasę, kilkadziesiąt tysięcy. I że Jaro postanowił to odpuścić, ale ja jakoś nie mogę. Mnie to gryzie. Oni na to, żebym się nie martwił. Mam przecież ich. Oni mi pomogą. Tak po sąsiedzku.

RUNDA DZIEWIĄTA
– NOKAUT
TECHNICZNY

Chytry dwa razy traci
(reklama społeczna zachęcająca do płacenia rachunków)
Scenariusz spotu TV (30 sekund)

Obraz:

Wydruk faktury VAT w męskich dłoniach, oglądany z góry, jakby oczami trzymającego go mężczyzny. Krótkie zbliżenie na termin płatności widoczny w nagłówku dokumentu.

Dźwięk:

Absolutna cisza.

Obraz:

Brodaty czterdziestoparoletni mężczyzna w garniturze rozdziera fakturę na pół i zgniata w papierową kulkę. Kulka ląduje w koszu na śmieci.

Dźwięk:

Odgłos rozdzieranego i zgniatanego papieru.

Lektor:

– Niezapłacone rachunki?

Obraz:

Brodacz, który dopiero co wyrzucił fakturę, biegnie teraz słabo oświetloną uliczką ścigany przez dwóch potężnych mężczyzn w czarnych skórach i czarnych kominiarkach. Uciekinier co chwila odwraca się za siebie, żeby ocenić, jak daleko jest grupa pościgowa. A ona zbliża się z każdą chwilą. Bo brodacz biegnie jakoś tak niezdarnie, co chwila potykając się i przewracając.

Dźwięk:

Zapętlony fragment przeboju zespołu Blondie: One way or another, I'm gonna find ya, I'm gonna get ya', get ya', get ya', get ya'.

Lektor:

– Nie warto przed nimi uciekać.

Obraz:

Dwóch osiłków w czarnych skórach i kominiarkach niesie pod ręce śmiertelnie przerażonego brodacza w bardzo pomiętym już teraz garniturze. Usta brodacza zaklejone są szarą taśmą.

Dźwięk:

Ten sam zapętlony fragment hitu Blondie.

Lektor:

– Bo i tak w końcu cię dopadną.

Obraz:

Zamaskowani mężczyźni wrzucają zakneblowanego taśmą i związanego grubym sznurem brodacza do bagażnika czarnego bmw. Są przy tym niezbyt delikatni.

Dźwięk:

Wciąż ten sam zapętlony fragment Blondie.

Lektor:

– Więc zanim wpadniesz po uszy...

Obraz:

Rozwiązany już, ale nadal zakneblowany brodacz klęczy na podłodze w ponurym piwnicznym wnętrzu. Wokół szare betonowe ściany. Z sufitu zwisa na kablu naga żarówka. Przed brodaczem stoi trzech mężczyzn. Po bokach dwóch napakowanych drabów w czarnych skórach i kominiarkach. W środku znacznie niższy od nich człowiek w nietanim, granatowym, budzącym szacunek i zaufanie garniturze i w obowiązkowej w zaistniałych okolicznościach kominiarce. Mężczyzna w garniturze tłumaczy coś brodaczowi, grożąc mu jednocześnie wyprostowanym i skierowanym ku górze palcem wskazującym. Stojąc tak pomiędzy monstrami w skórach, wygląda jak szachowy pionek w otoczeniu kręgli.

Dźwięk:

Zapętlony fragment Blondie, teraz stopniowo wyciszany.

Lektor:

– Zrozum...

Obraz:

Betonowa ściana oświetlona światłem nagiej żarówki. Na ścianie pojawia się cień opadającego z góry na dół ostrza siekiery. Po sekundzie cień siekiery zadaje kolejny cios.

Dźwięk:

Przeraźliwy ryk bólu. Po sekundzie kolejny. W tle wyciszony hit Blondie.

Lektor:

–... że chytry dwa razy traci.

Obraz:

Zbliżenie na dwa obcięte, ociekające krwią palce męskiej dłoni, mały i serdeczny. Leżą na brudnej betonowej podłodze. Na serdecznym palcu błyszczy złota obrączka.

Dźwięk:

Cisza jak makiem zasiał.

Obraz:

Wyciemnienie piwnicznego tła - aż do pełnej czerni. Odcięte męskie palce pozostają na pierwszym planie. Poniżej ukazuje się tekst:

„Rachunki. Nie opłaca się nie płacić".

Dźwięk:

Złowroga, martwa cisza.

Lektor (powtarza tekst, który widzimy na ekranie):

– Rachunki. Nie opłaca się nie płacić.

THE END

Łukasz Krakowiak
COPYFIGHTER

Copyright © by Łukasz Krakowiak
and Wydawnictwo Nisza

ISBN 978-8362795-37-6
Wydanie I, Warszawa 2015

Redakcja: Krystyna Bratkowska
Korekta: Dorota Dul
Projekt okładki: Maciej Szewczenko
Skład i łamanie: zerkaj studio
Druk i oprawa: Read Me Łódź

Wydawnictwo Nisza
tel. 48 607 622 655
nisza@intertop.pl
www.nisza-wydawnictwo.pl

polub Niszę
www.facebook.com/Nisza.Wydawnictwo

Nisza należy do ZMOWY

Nie niszczyć książek!